大觀帖（第二卷）

彩色放大本中國著名碑帖

孫寶文 編

上海辭書出版社

後漢車騎將軍行子玉書
弇州睹此帖後二百三十八年嘉慶辛未夏
歸於臨川李宗丞宗瀚靜娛室北平翁方綱
為之攷證題識借以消暑六月廿二日記
時年七十有九

賢女委頓積日治此為憂懸憔心今已極佳足下勿復憂念有信來數附书知聞以解其憂

知汝殊愁且得還为佳也冠軍蹔畅釋當不得極蹤可恨吾病來不辨行動潛

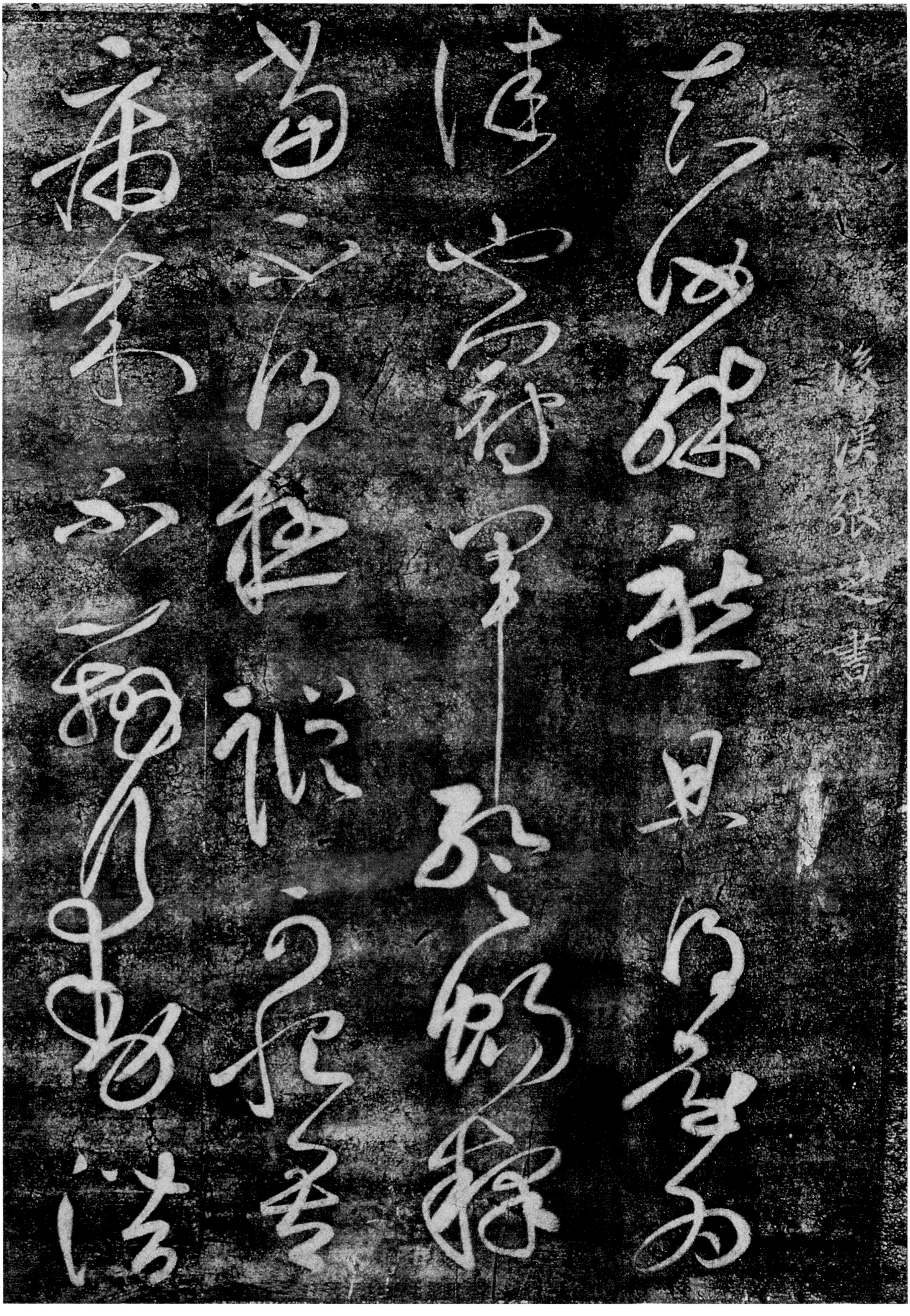

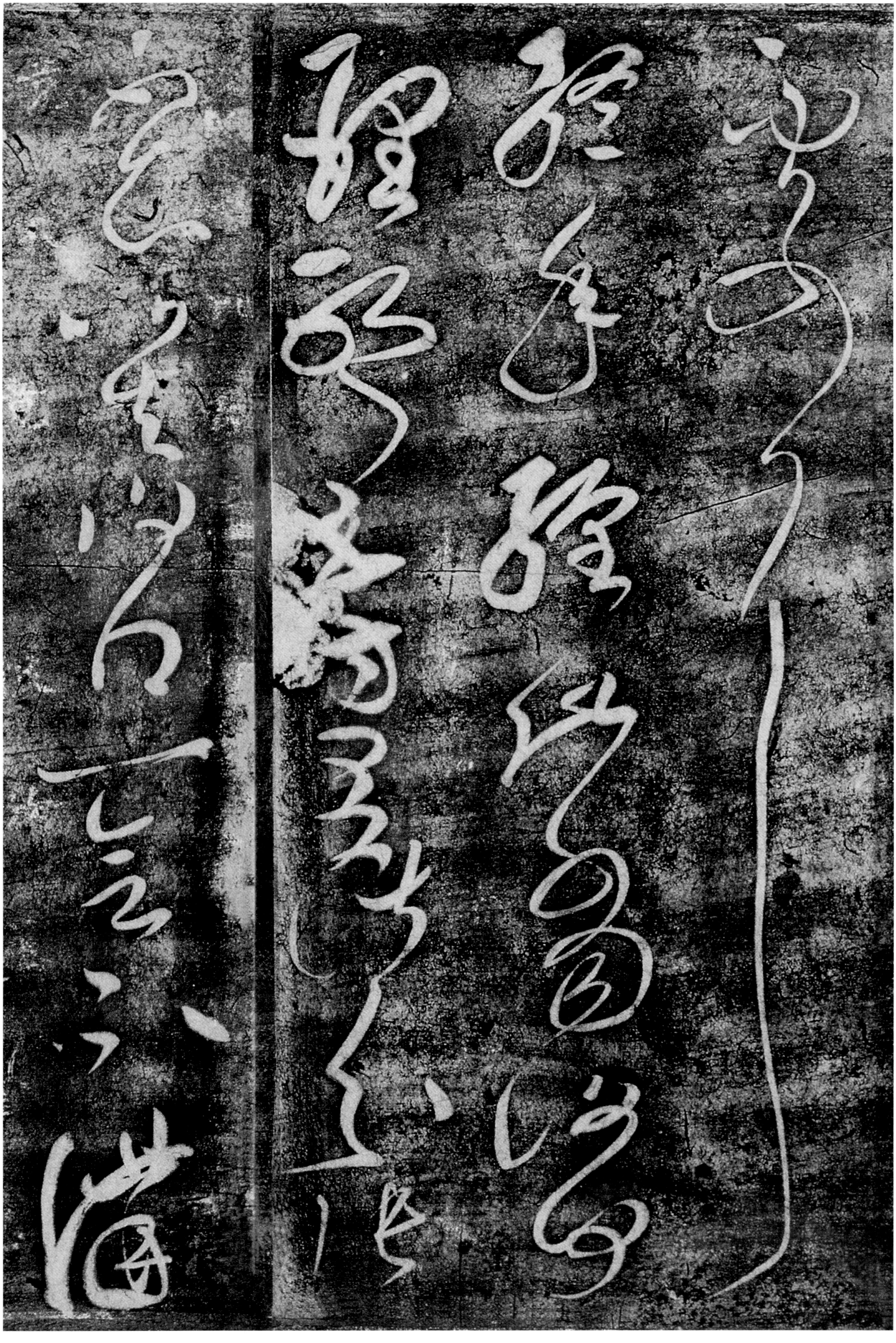

處耳終年纏此當復何理耶且方有諸分张不知比去復得一会不講

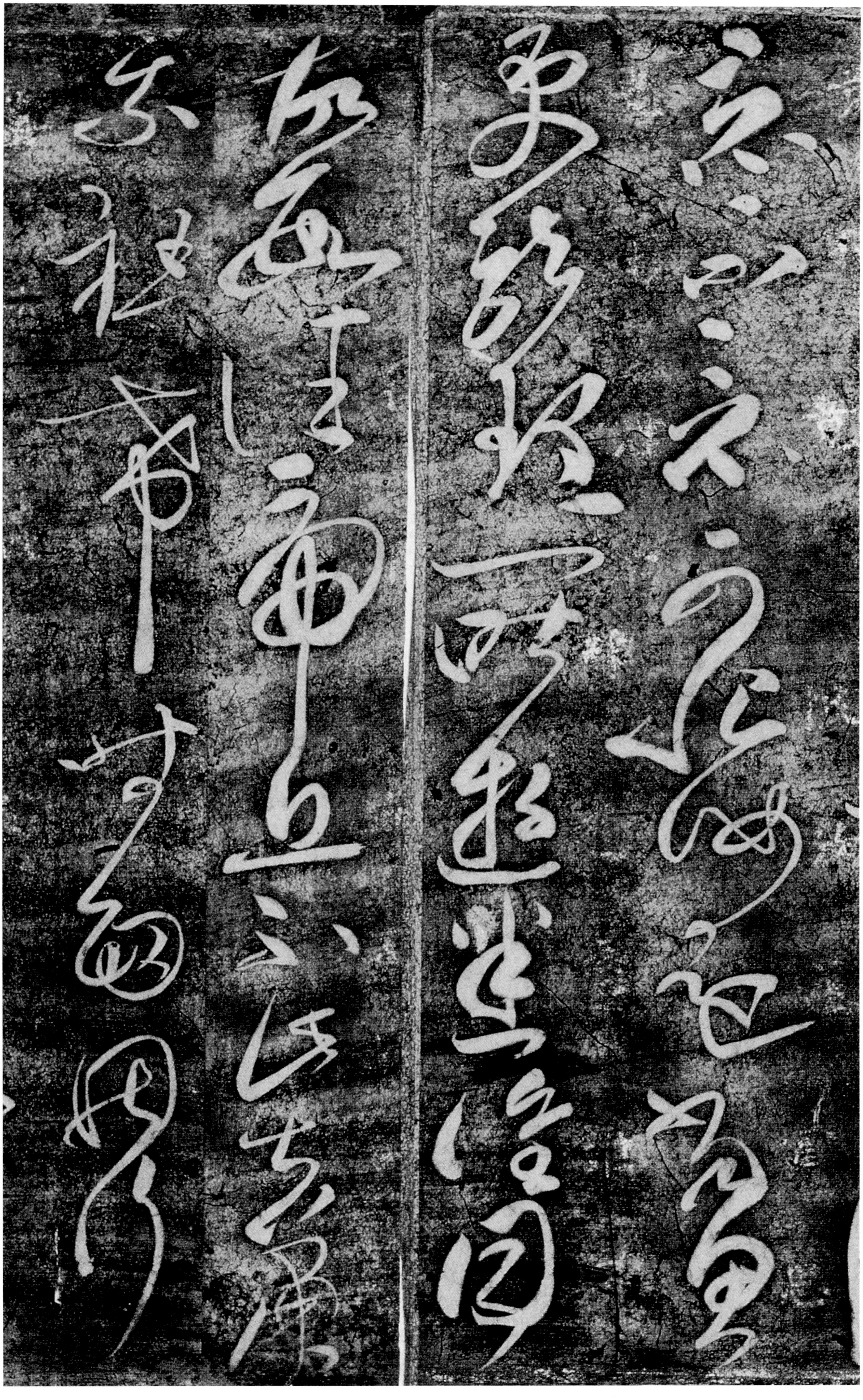

竟不竟可恨汝還當思更就理一昨遊悉誰同故數往虎丘不此甚蕭索祖希时面因行

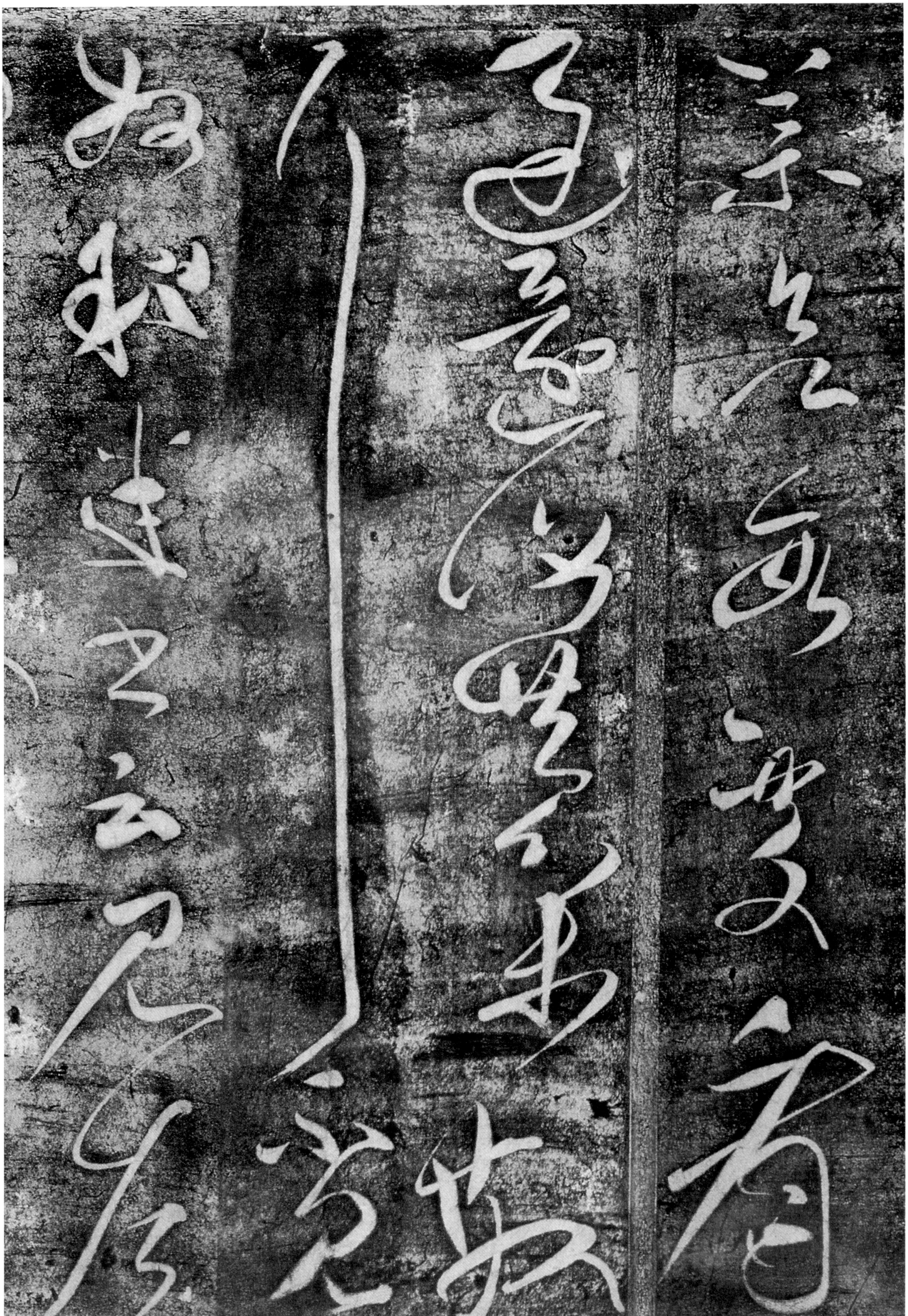

藥欲數處看過還復其集散耳不見奴粗悉书云见左

軍弥若論聽故也
今欲歸復何適报之遣不知揔散往並侍郎

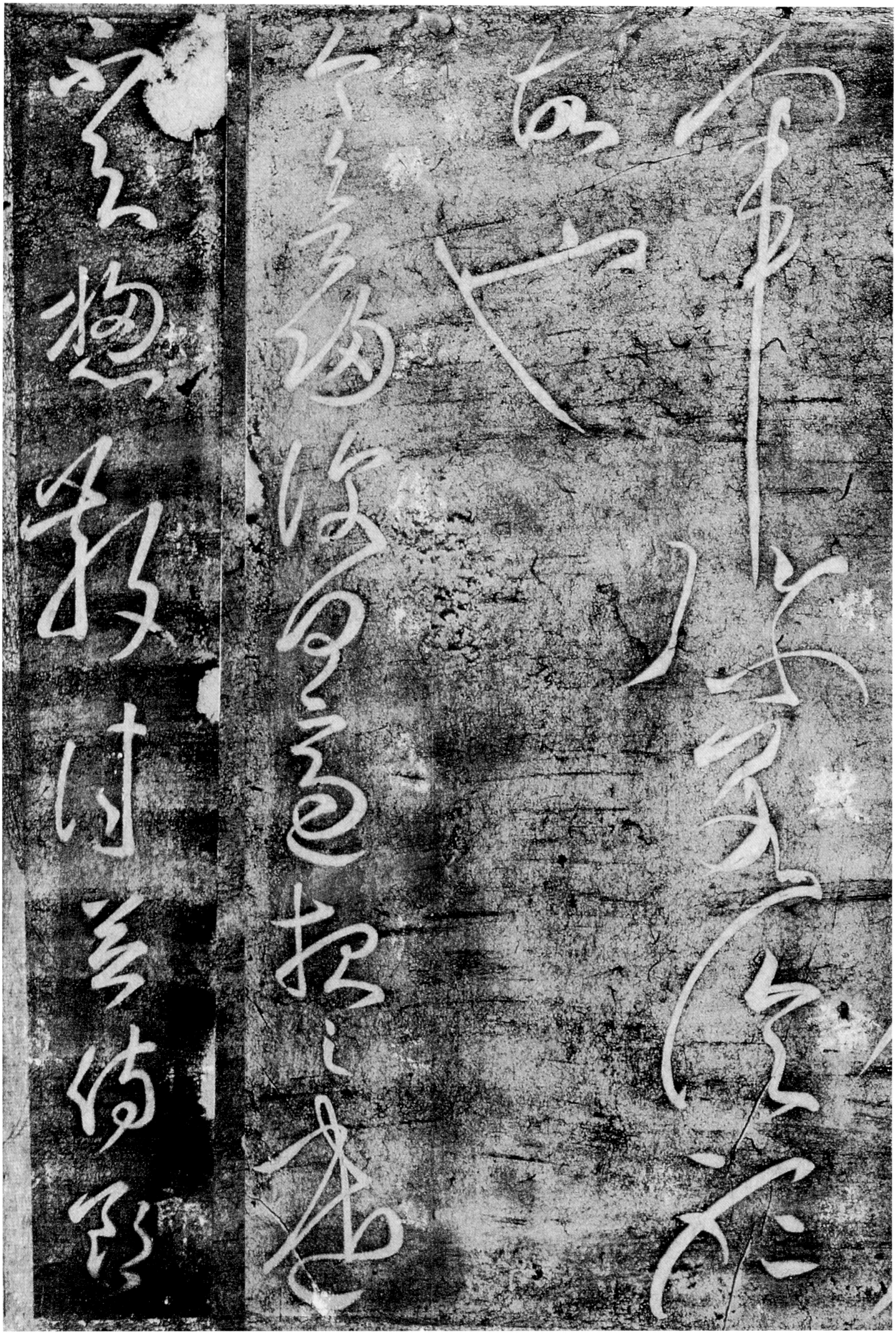

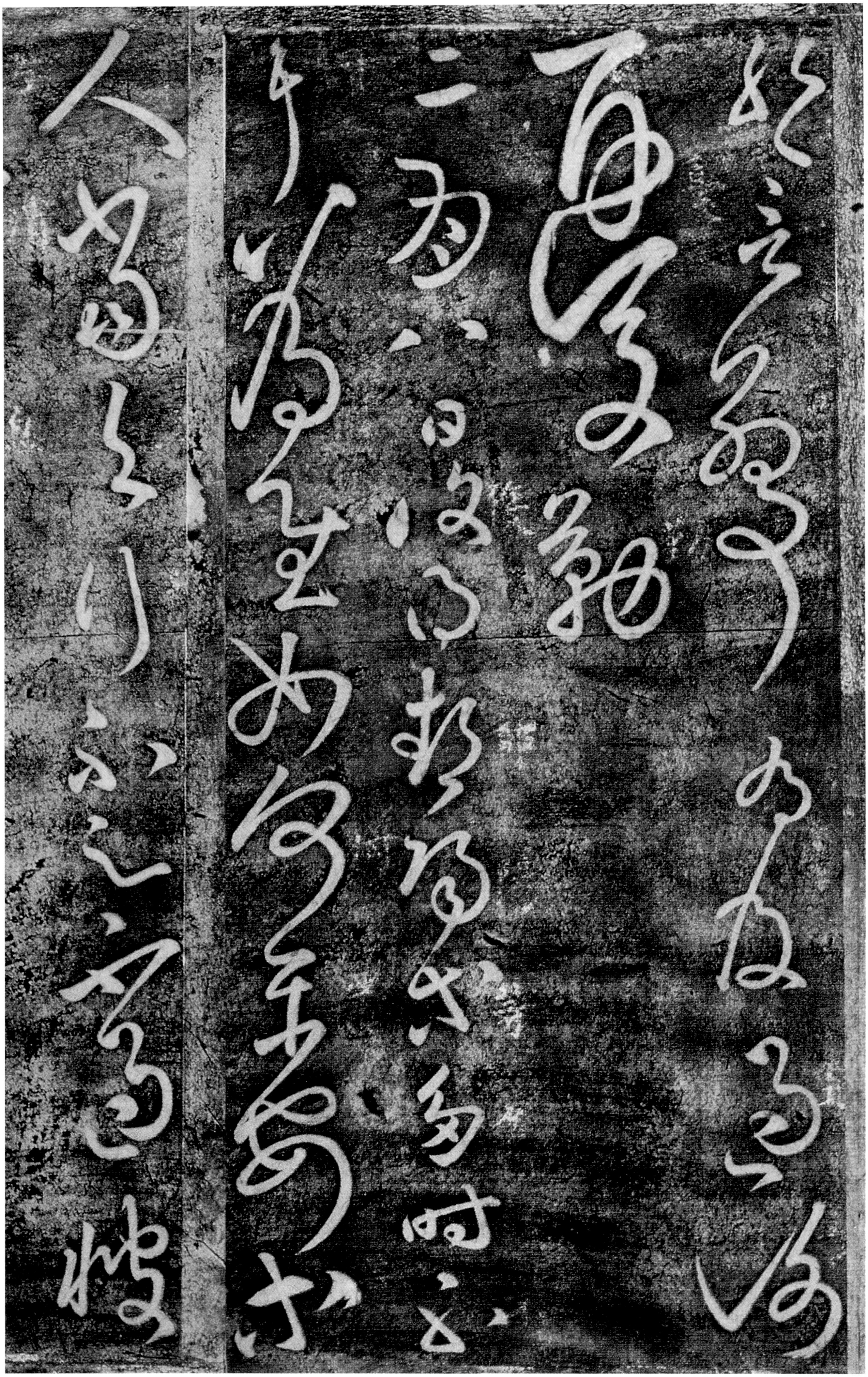

耶言別事有及過謝憂勤

二月八日復得鄱陽等多时不耳爲慰如何平安等人當與行不足不過疲

與消息　八月九日芝白府君足下深为秋凉平善廣深弥邁想思無違前比得书不逐西行望遠懸想何日不懃捐棄漂没不當行李又去春送舉喪
到美陽須待伴比故遂簡絶有緣復相聞飡食自愛張芝幸甚幸甚

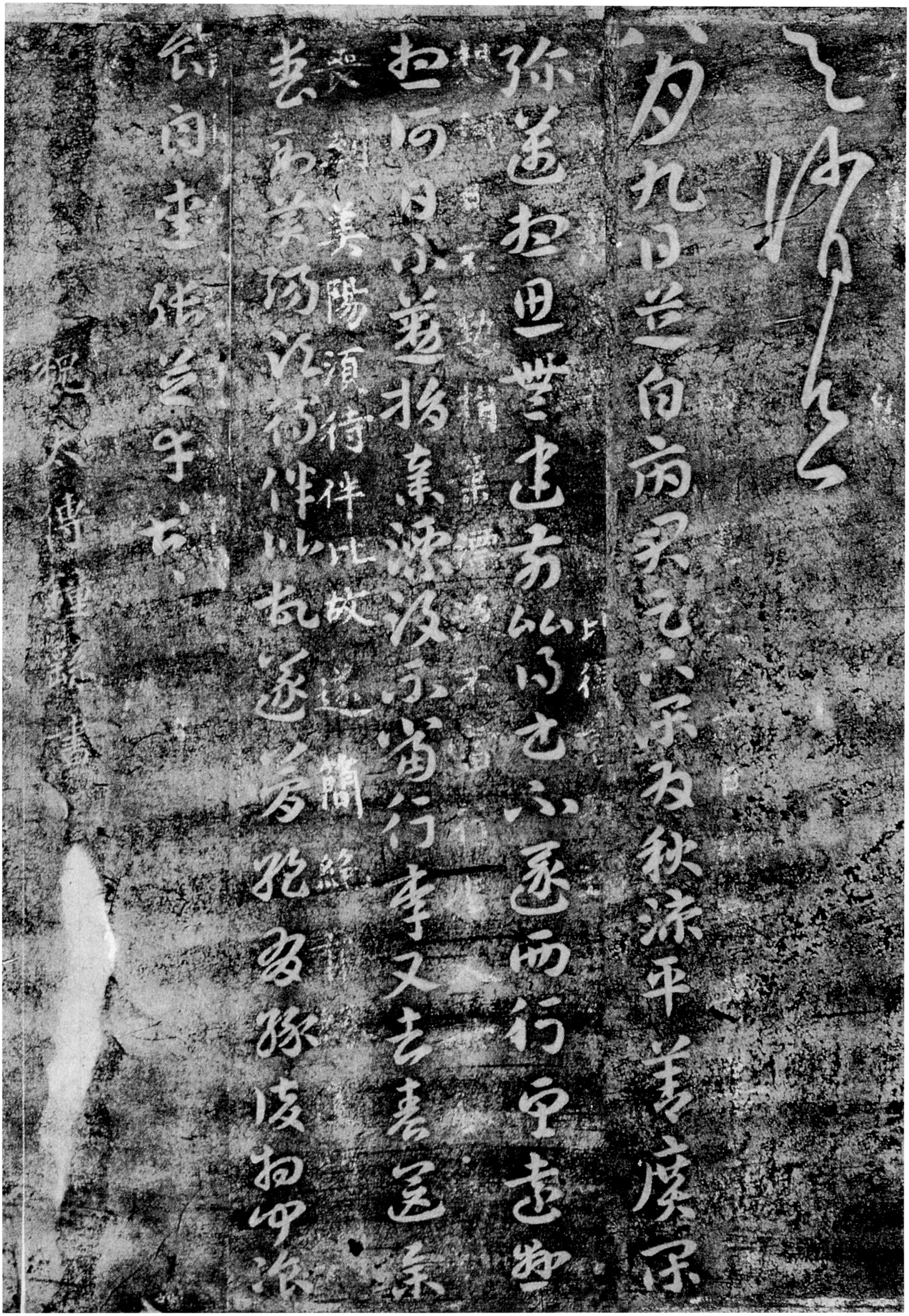

尚書宣示孫權所求詔令所報所以博示逯于卿佐必異良方出於阿是芻蕘之言可擇郎廟況繇始以疏賤得爲前恩横所眄睨公私見異愛同骨肉殊遇厚寵以至今日再世榮名同國休慼敢不
自量竊致愚慮仍日達晨坐以待旦退思鄙淺□意所棄則又割意不敢獻聞深念天下今爲已平權之委質外震神武度其拳拳無有二計高尚自疏況未見信今推款誠欲求見信實懷

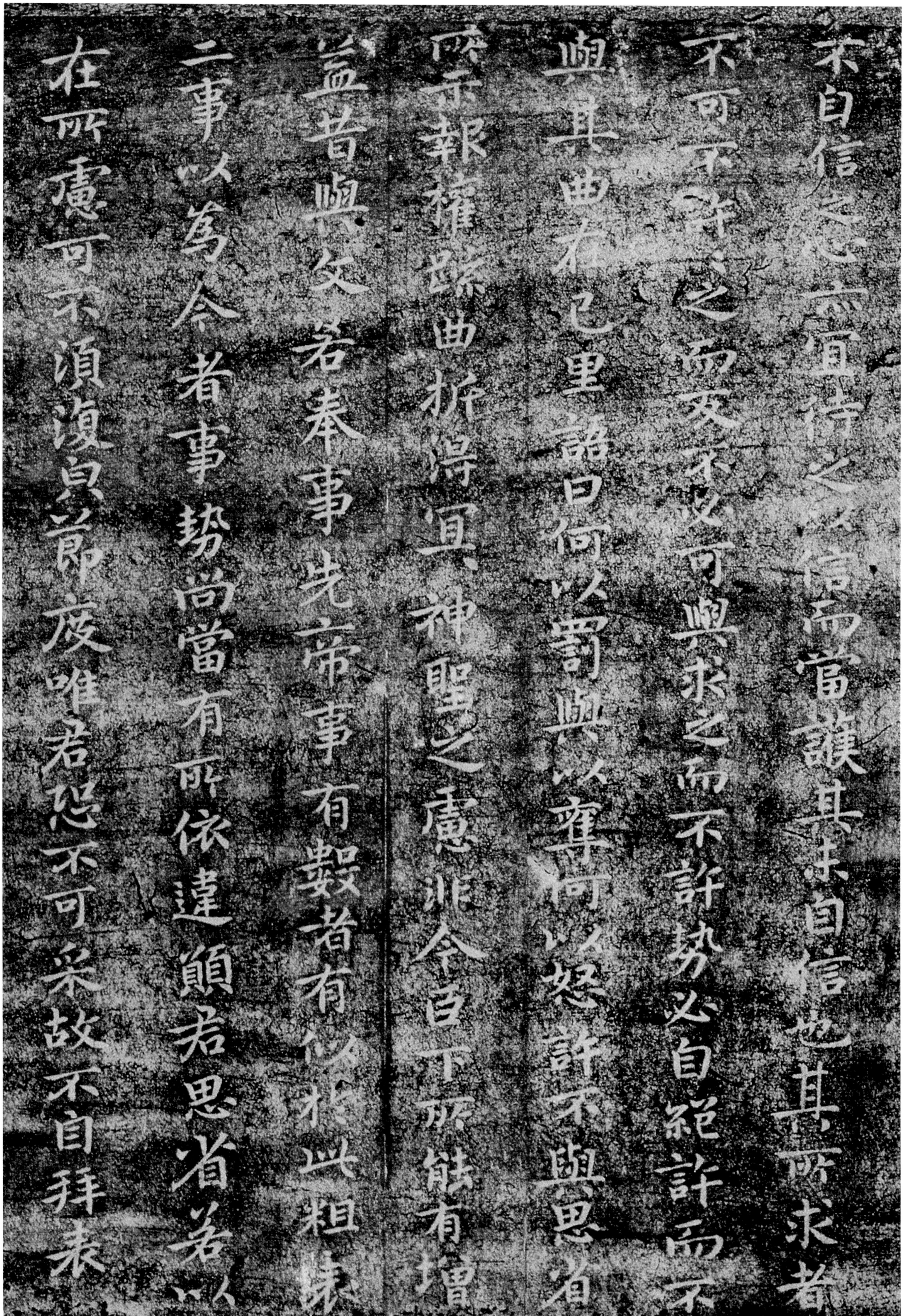

不自信之心亦宜待之以信而當護其未自信也其所求者不可不許許之而反不必可與求之而不許勢必自絶許而不與其曲在己里語曰何以罰與以奪何以怒許不與思省所示報權疏曲折得宜神聖之慮非今臣下所能有增益昔與文若奉事先帝事有數者有似於此粗表二事以爲今者事勢尚當有所依違願君思省若以在所慮可不須復完節度唯君恐不可采故不自拜表

繇白昨疏還示知憂虞復深遂積疾苦何廼爾耶蓋張樂於洞庭之野鳥值而高翔魚聞而深潛豈絲磬之響雲英之奏非耶此所愛有殊所樂廼異君能審己而恕物則常無所結滯矣鍾繇白

白騎遂内書不俟車駕計吳人權道情懷急切當以時月待取伏罪之言蓋不以疑相府小緣心吞若八九弟常患常

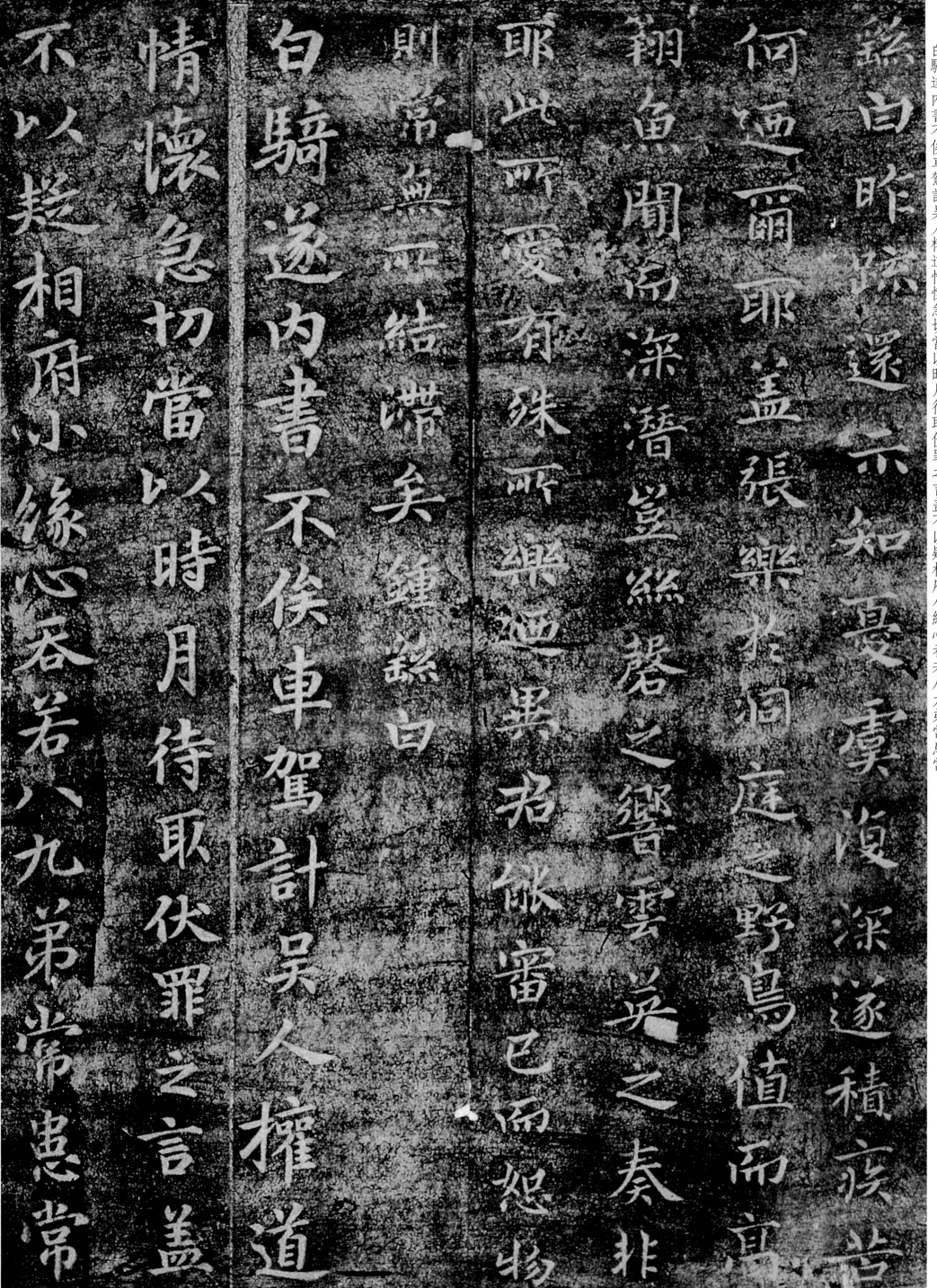

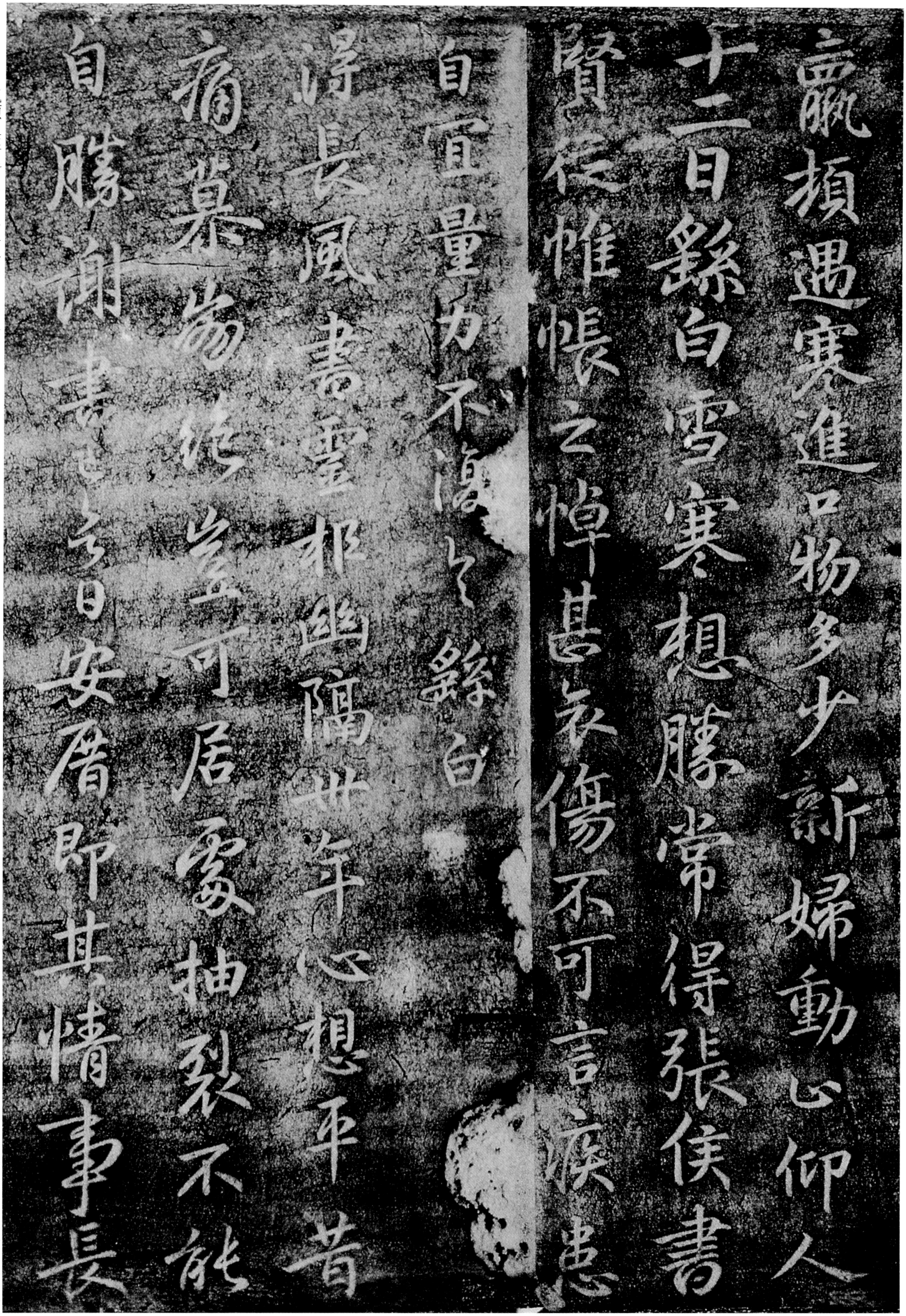

羸頓遇寒進口物多少新婦動止仰人十二日繇白雪寒想勝常得張侯書賢從帷帳之悼甚哀傷不可言疾患自宜量力不復具繇白

得長風書靈柩幽隔卅年心想平昔痛慕崩絶豈可居處抽裂不能自勝謝書已具日安厝即其情事長

畢奈何松等隕慟哀情頓泄亦難可言郗還未卜聊示友中郎相憂不去心感遠懷近增傷惋每見范母子哀號使人情悲

文武將隊乃俾俊臣整我皇綱董此不虔古君子即戎忘身

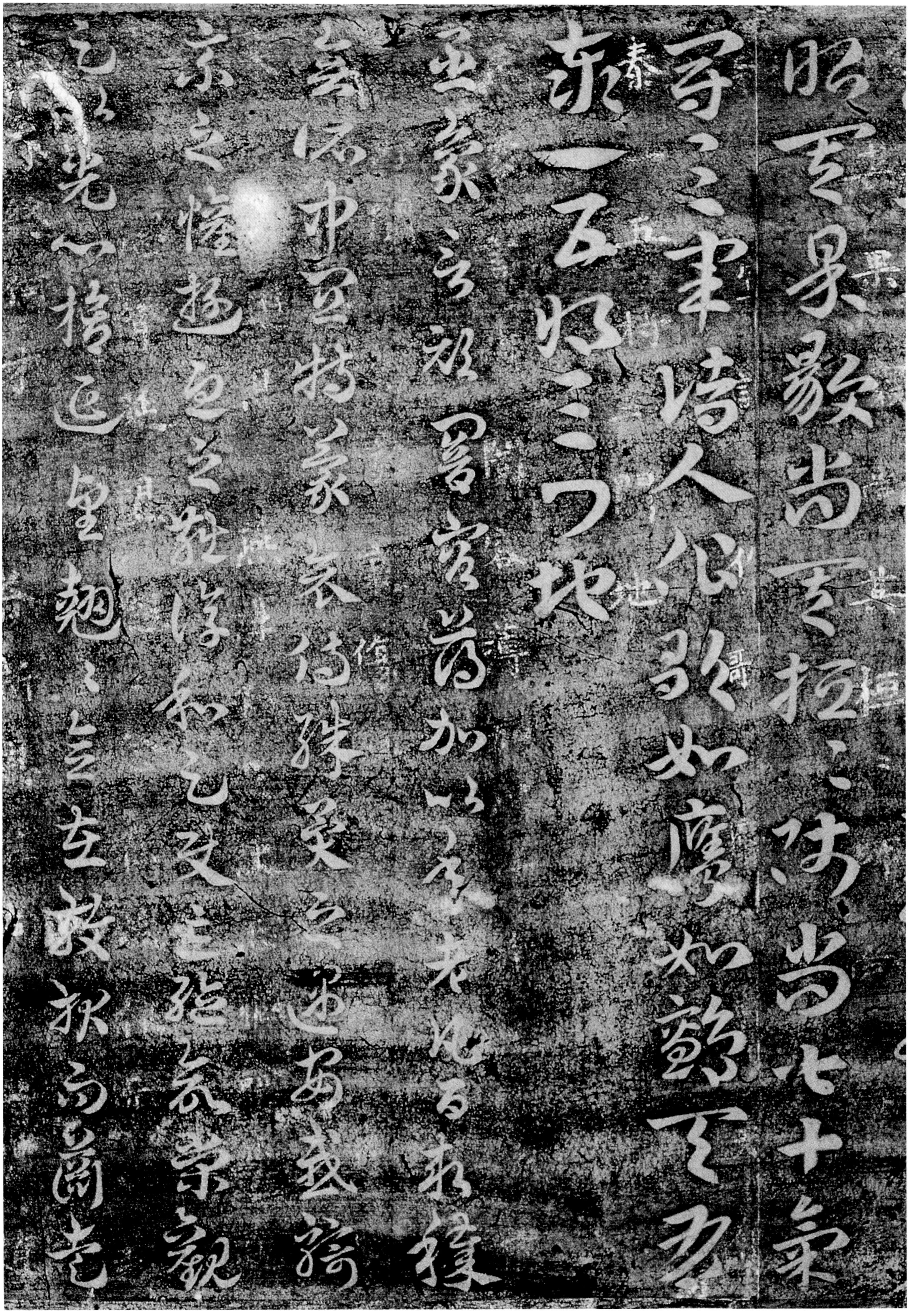

昭其果毅尚其桓桓師尚七十氣冠三軍詩人作歌如鷹如鸇天有泰一五將三門地

臣象言頑闇容薄加以年老凡百乖穢無所中宜特蒙哀傷殊異之遇安感騎乘之懽遊息之燕淳和足使忘軀命榮觀足以光心膂延望翹二念在效报而蕭走

垂須終何才力以答新恩唯尚有借近趙走文過首貧尚尋天恩智方當私成無任顏愛自弥文唯
敬望想想懷在外累年始尔得還情甚踊躍且至卅里上須節

頓州民衛瓘惶恐死罪中闕音

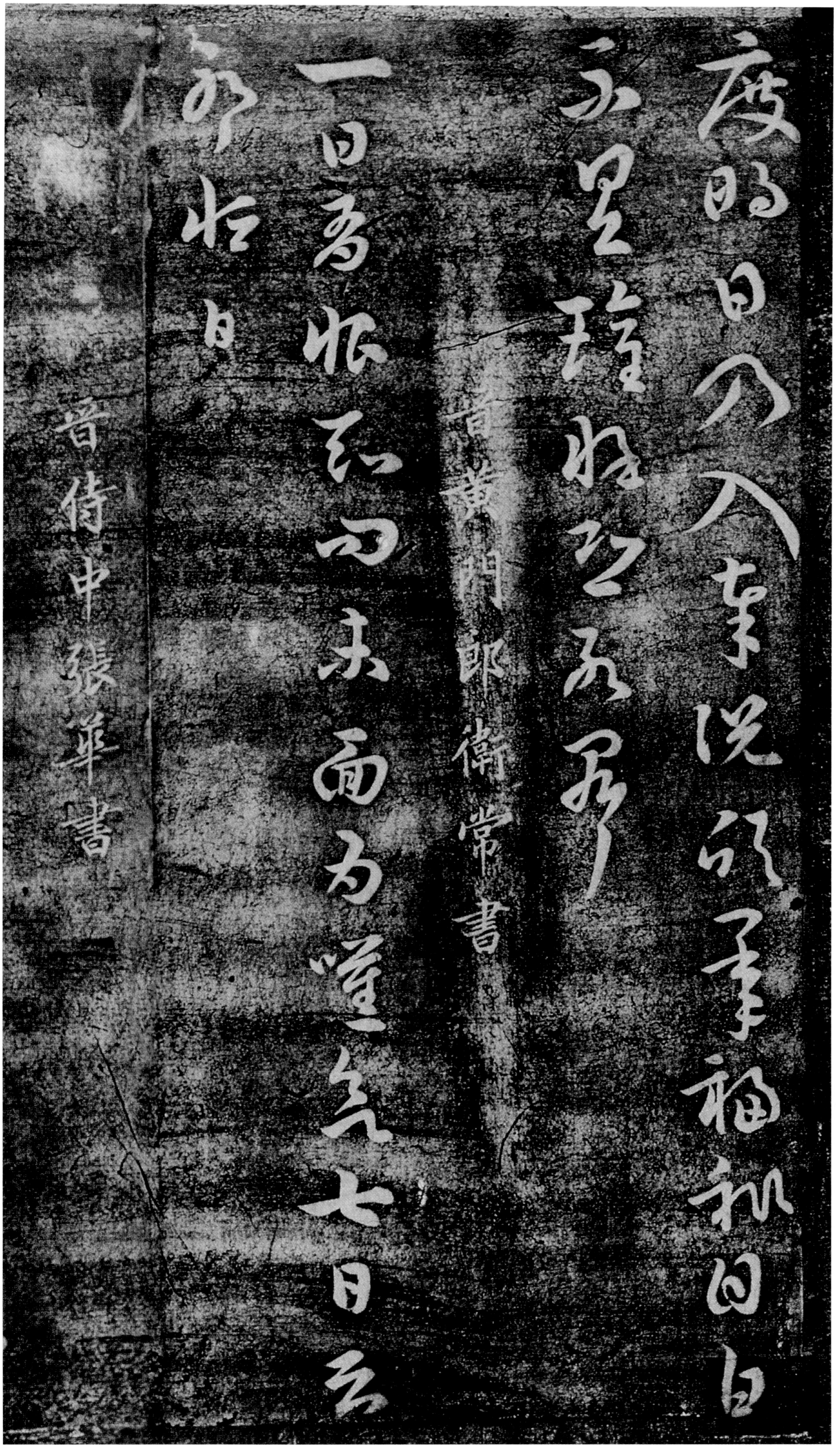

度明日乃入奉説欣承福祚自白不具瓘惶恐死罪死罪

一日有恨知問未面为嘆欲七日去耶恒白

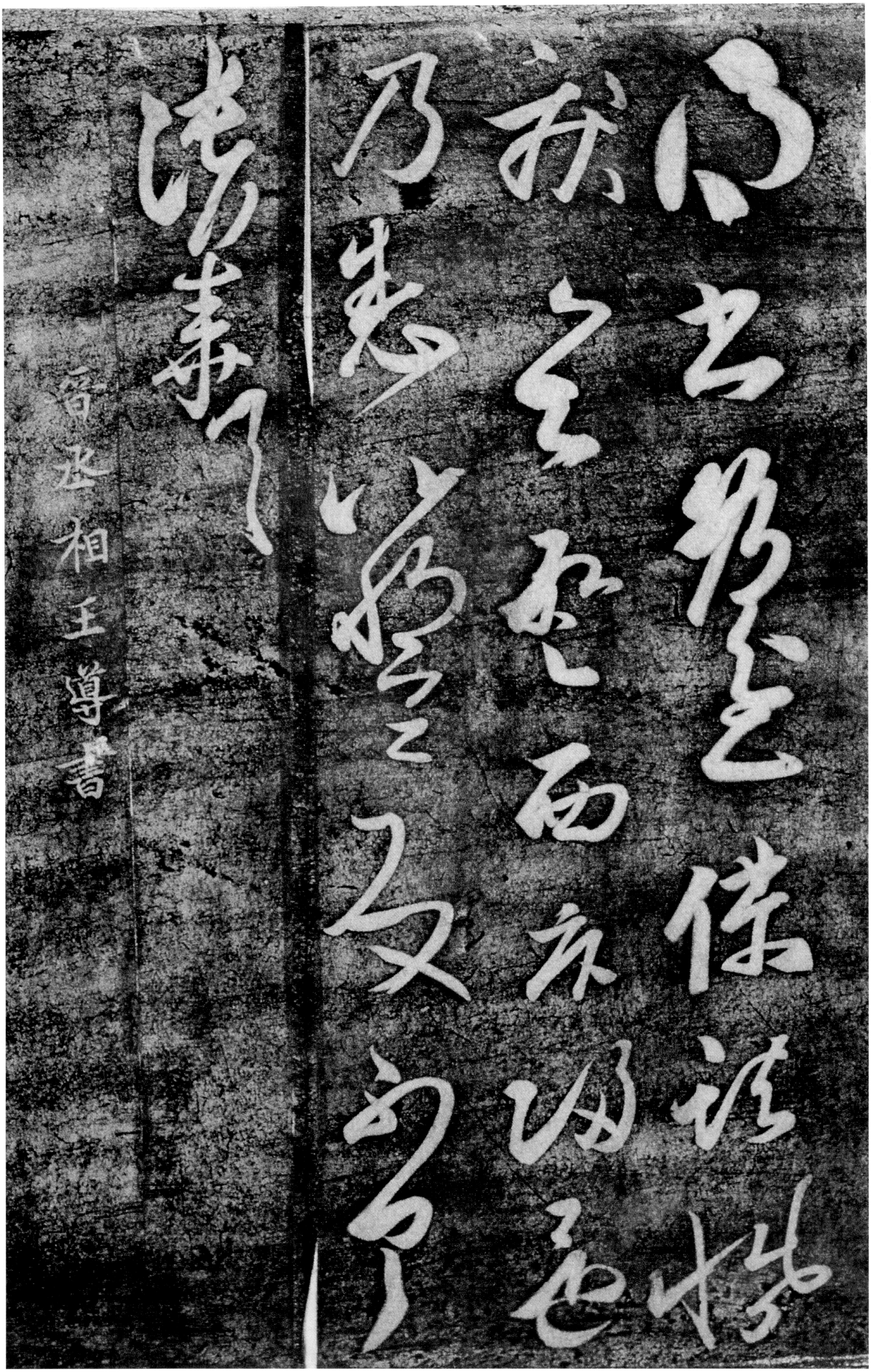

得书爲慰僕諸惛疾已甚蹔西卧歸還乃悉此將念反不具張華頓首

省示具卿辛酸之至吾守憂勞卿此事亦不斯忘然书足下所欲致身處尚在殿中王制正自欲

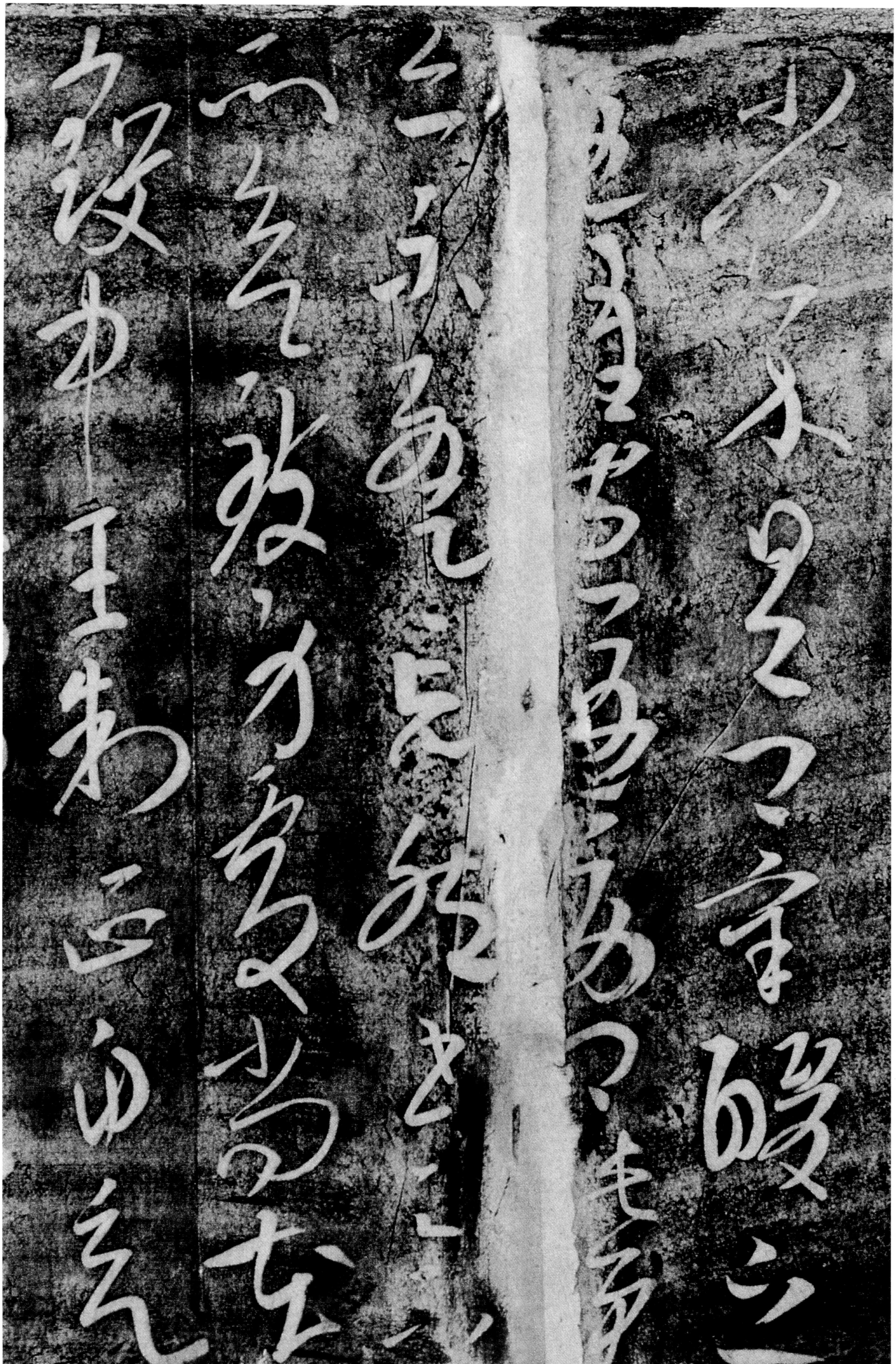

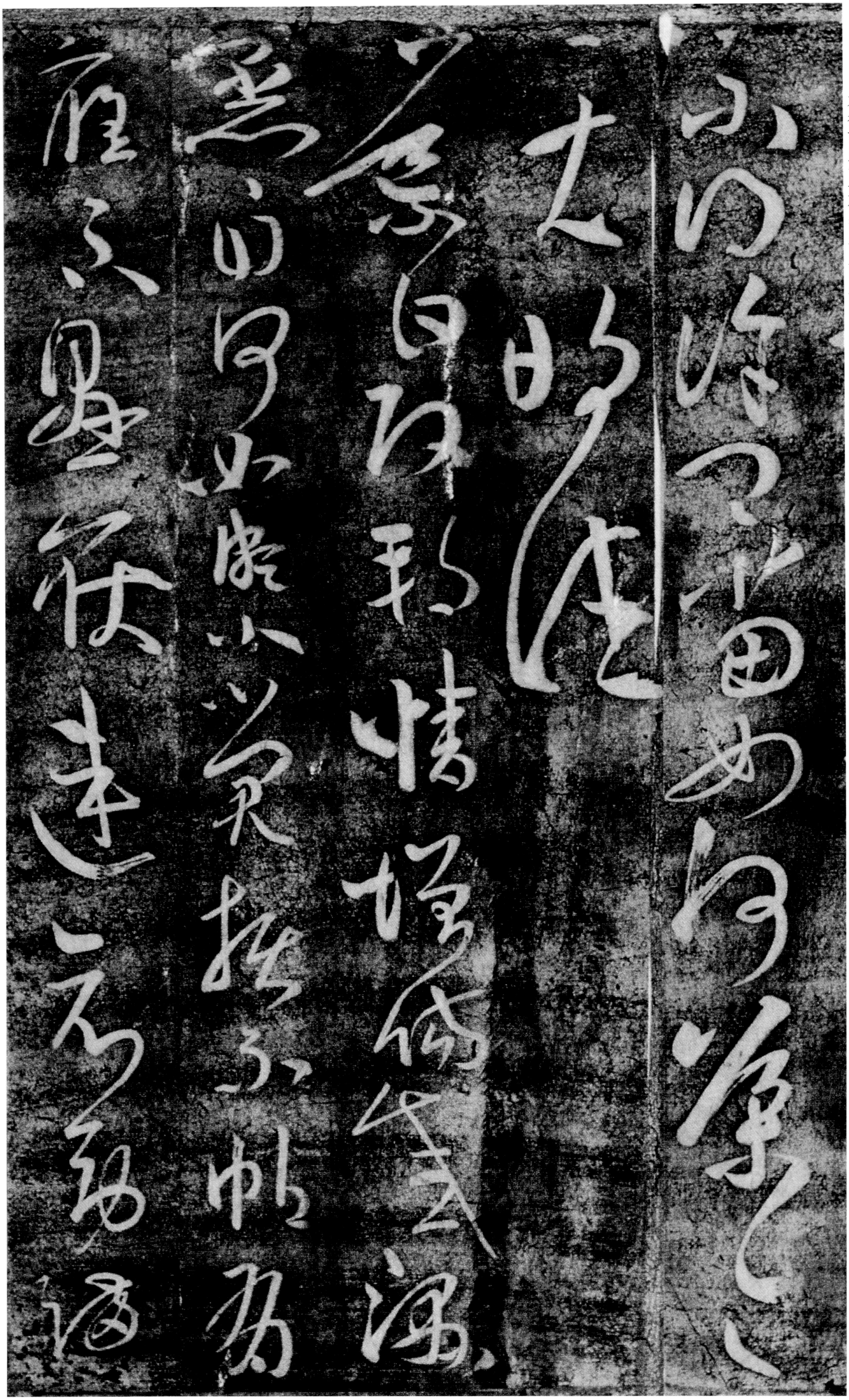

不得許卿當如何導亦天明往導白改朔情增傷感濕悉自何如頰小覺損不帖有應下懸耿連哀勞滿

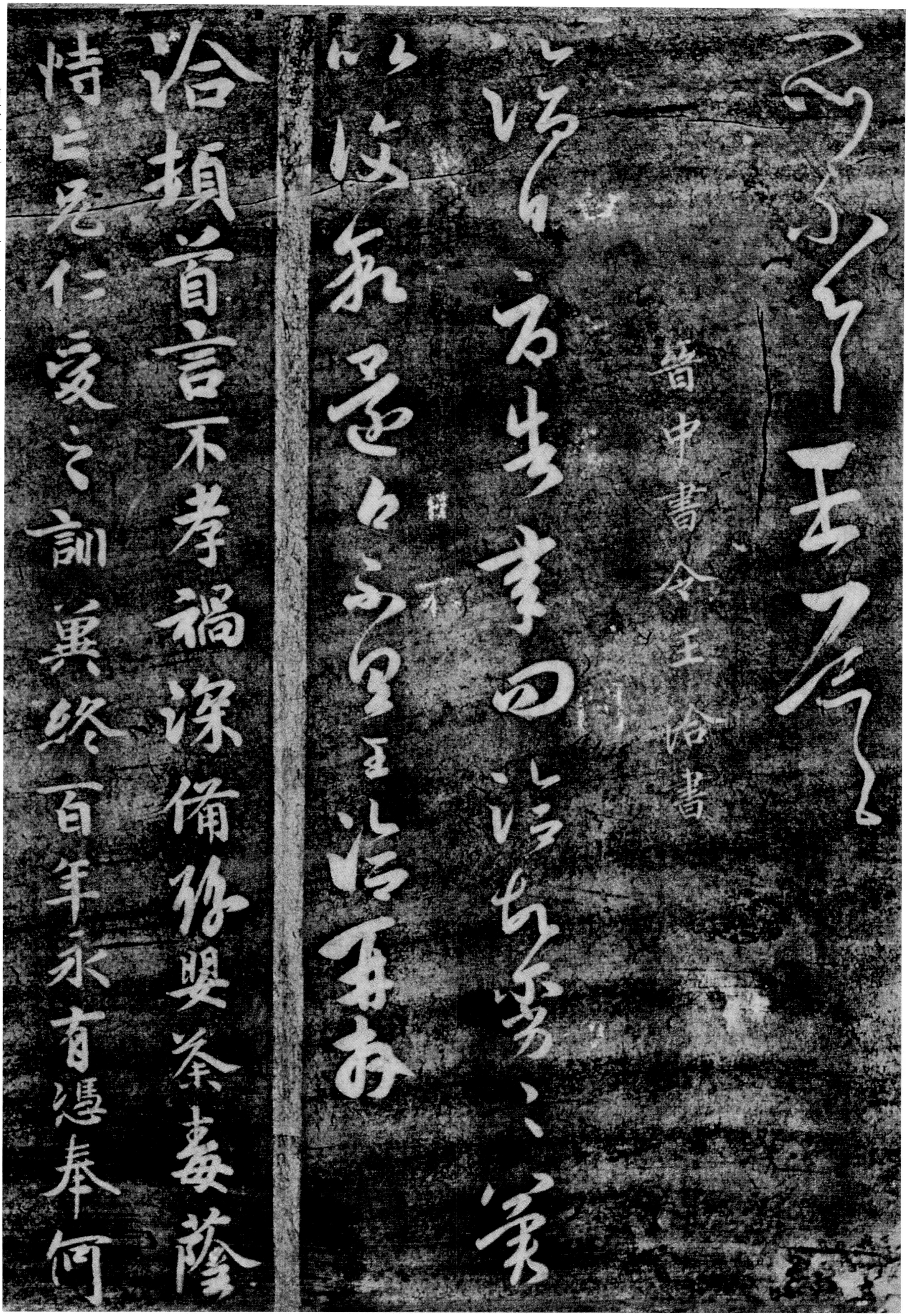

悶不具王導

洽白辱告承問洽故尔劣劣冀以復叙還白不具王洽再拜洽頓首言不孝禍深備豫嬰荼毒蔭恃亡兄仁愛之訓冀終百年永有憑奉何

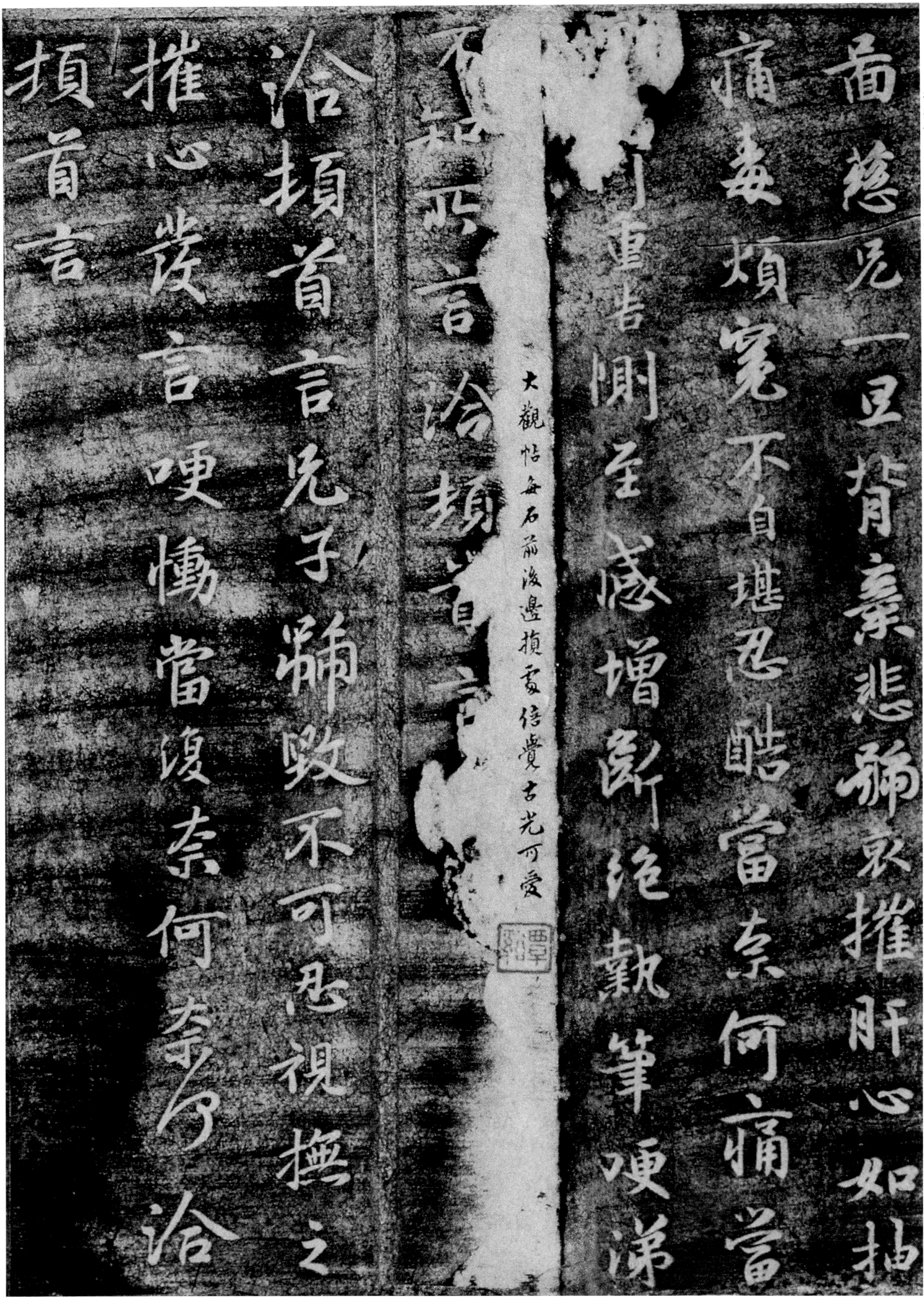

圖慈兄一旦背棄悲號哀摧肝心如抽痛毒煩冤不自堪忍酷當奈何痛當□何重告惻至感增斷絶執筆哽涕不知所言洽頓首言

洽頓首言兄子號毀不可忍視撫之
摧心發言哽慟當復奈何奈何洽頓首言

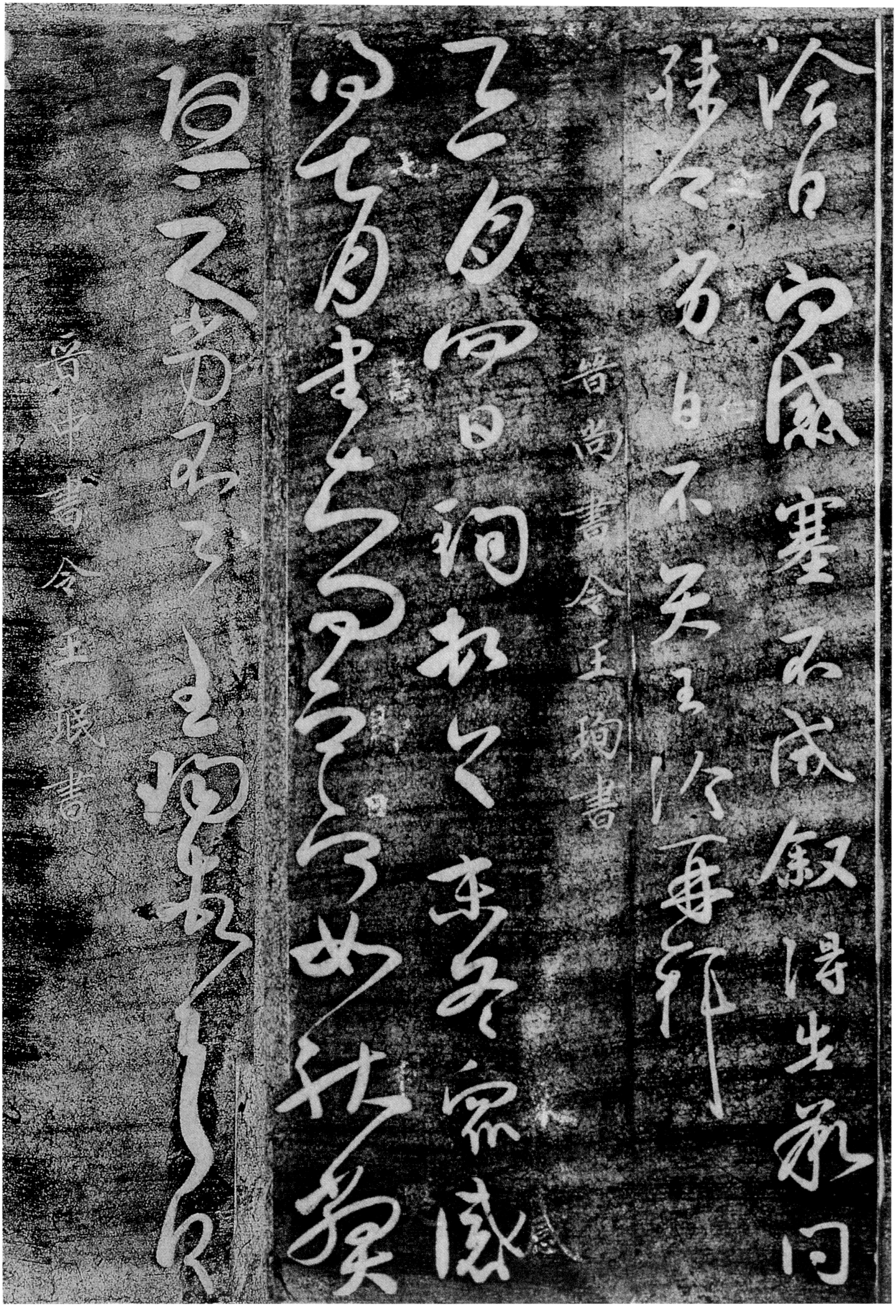

洽白向感塞不成叙得告承問殊乏劣白不具王洽再拜

三月四日珣頓首末冬衆感得七月書知問即何如秋槩憂之劣不一一王珣頓首白

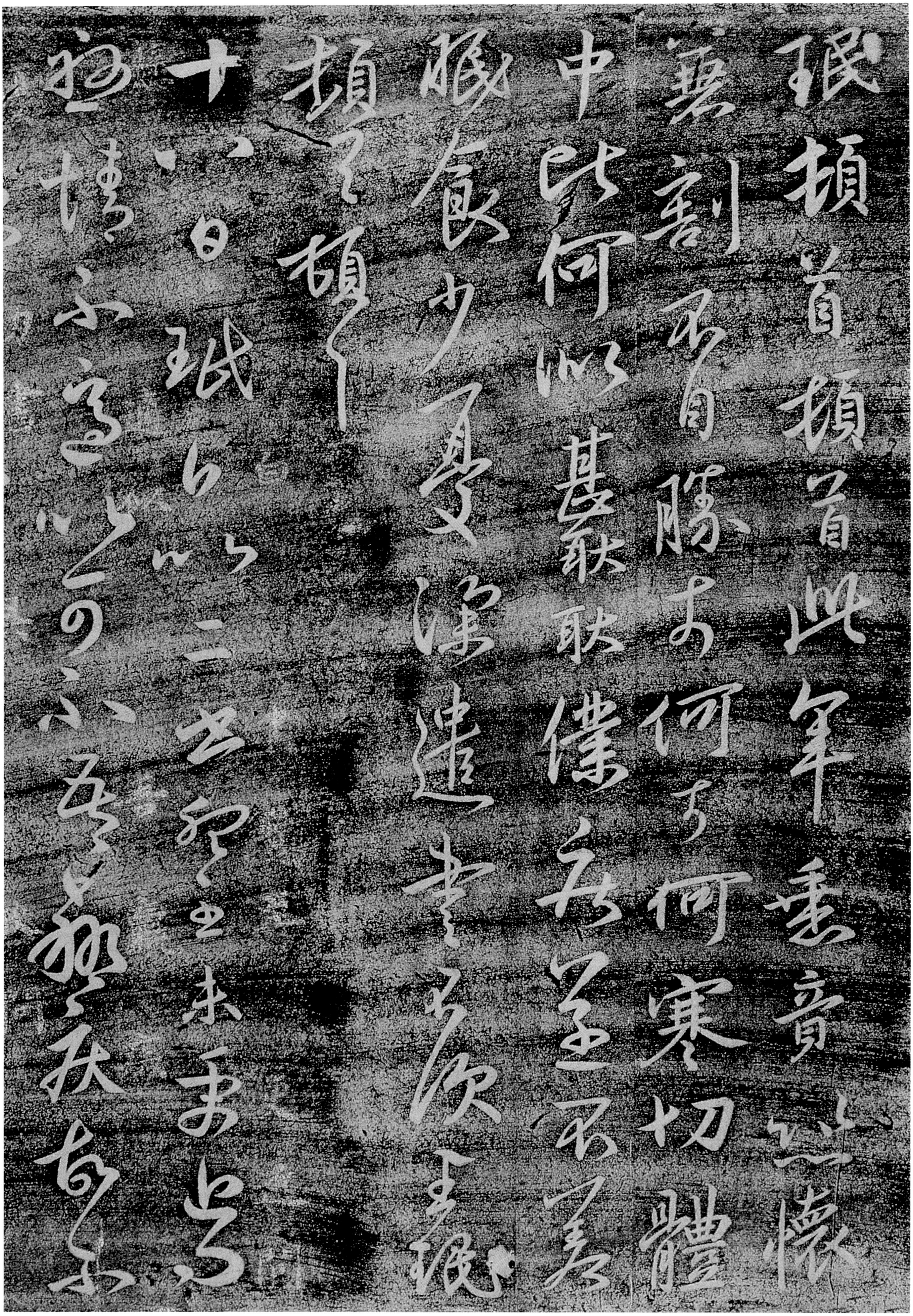

珉頓首頓首此年垂竟悲懷兼割不自勝奈何奈何寒切體中比何似甚耿耿僕疾遂不差眠食少憂深遣書不次王珉頓首頓首

十八日珉白比二书暫至未更近問懸情不適比可不吾羸疾故尔

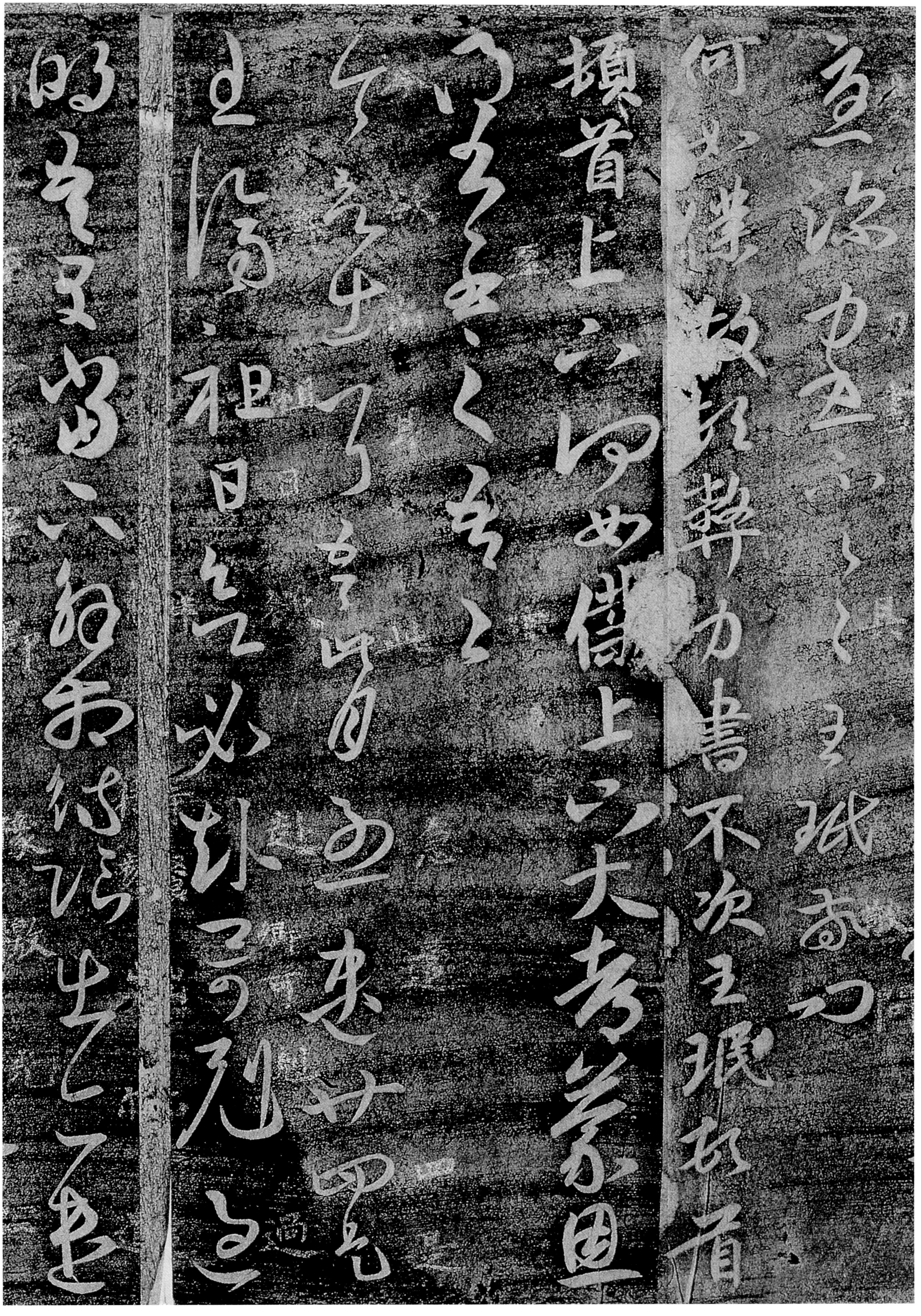

憂深力书不具王珉敬問何如僕故頓弊力書不次王珉頓首頓首上下何如僕上下大都蒙恩得书慰之吾具

今欲出耳吾此月亟盡廿四是王濟祖日

欲必赴卿可尅過明吾早當下解相待臨出亦遣

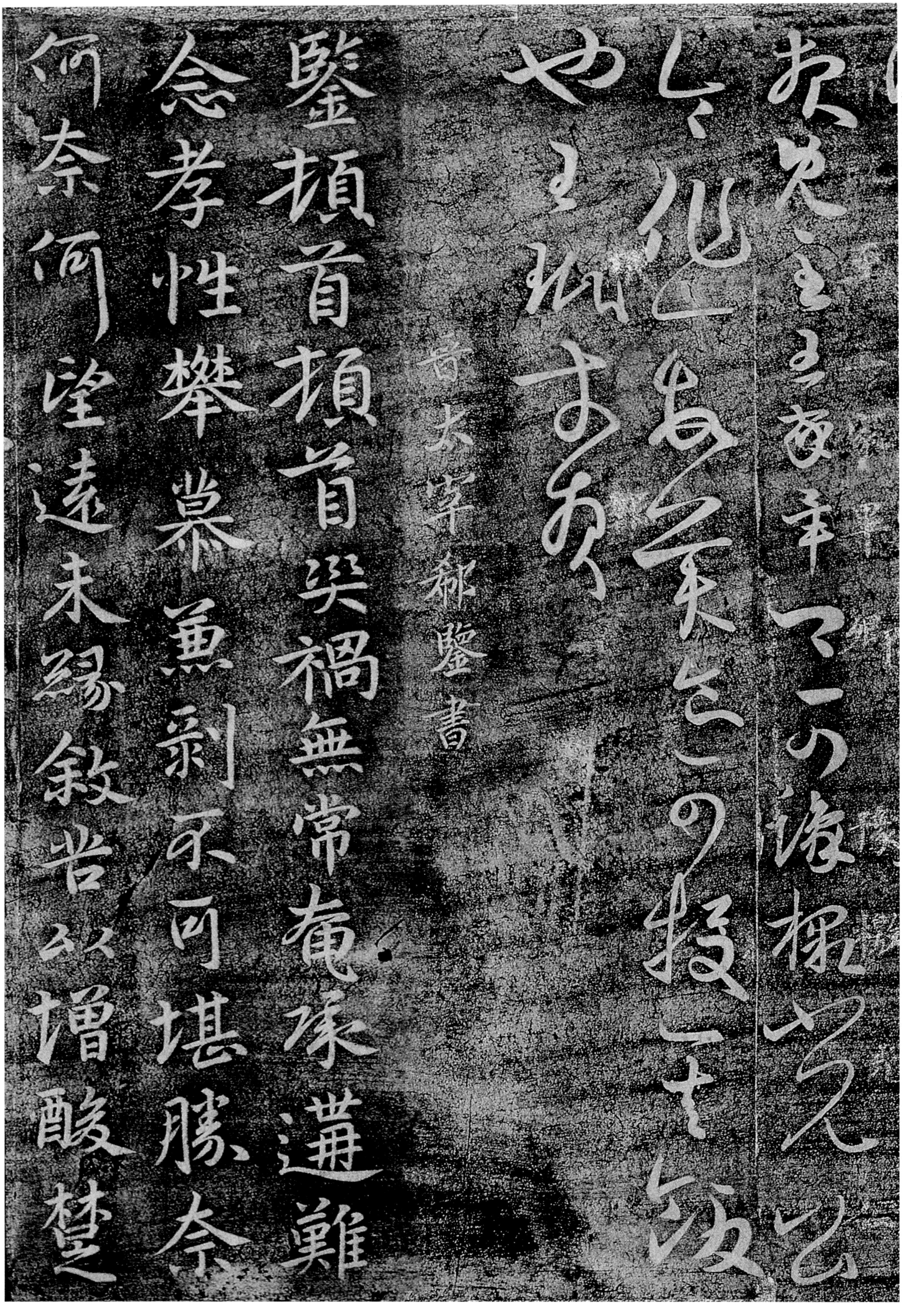

报既至王家畢卿可豫檄光公令作一頓美食可投其飯也王珉敬报

鑒頓首頓首災禍無常奄承遘難念孝性攀慕兼剥不可堪勝奈何奈何望遠未緣叙苦以增酸楚

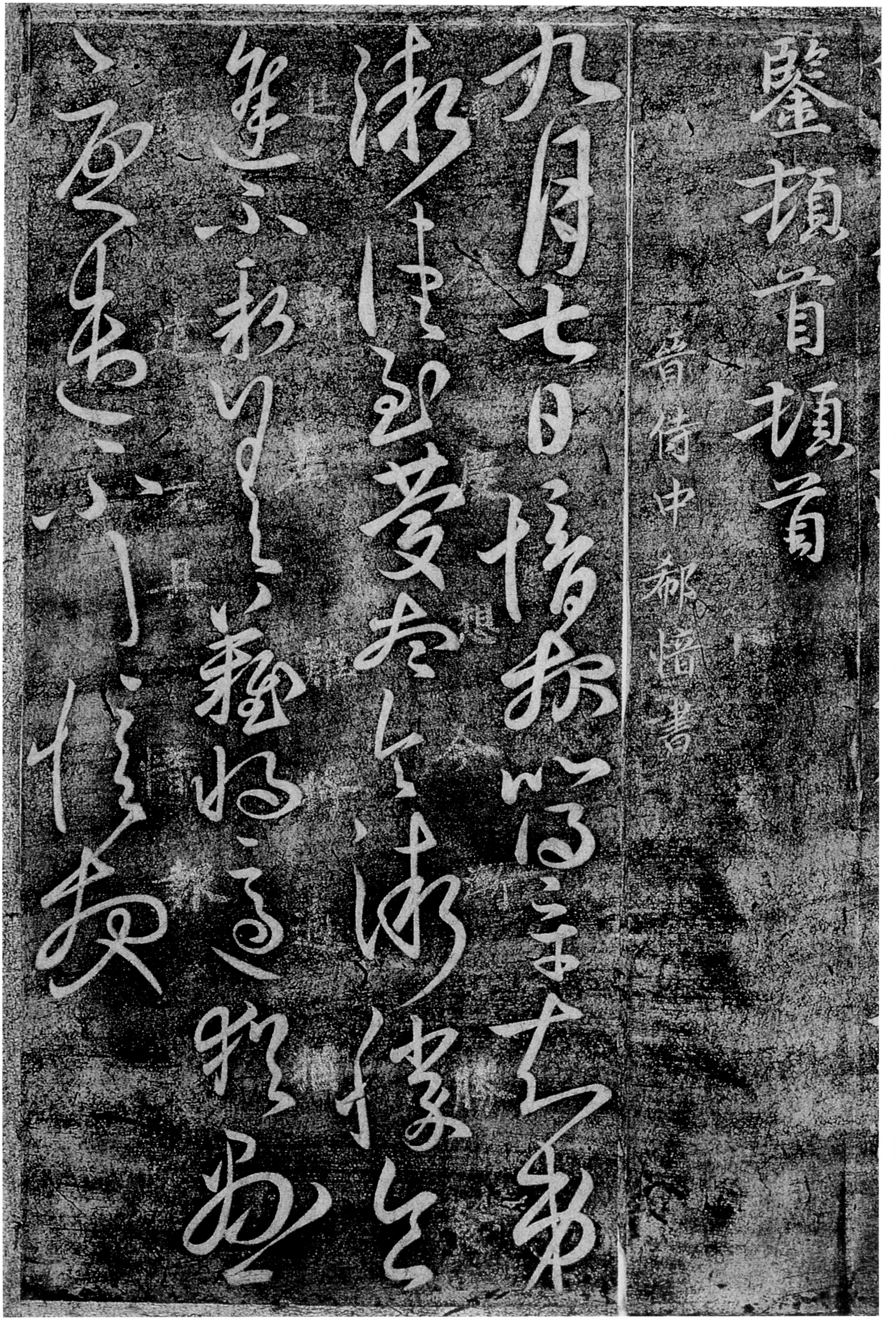

鑒頓首頓首

九月七日愔报比得章知弟漸佳至慶想今漸勝食進不新差難將適猶懸憂遣不具愔报

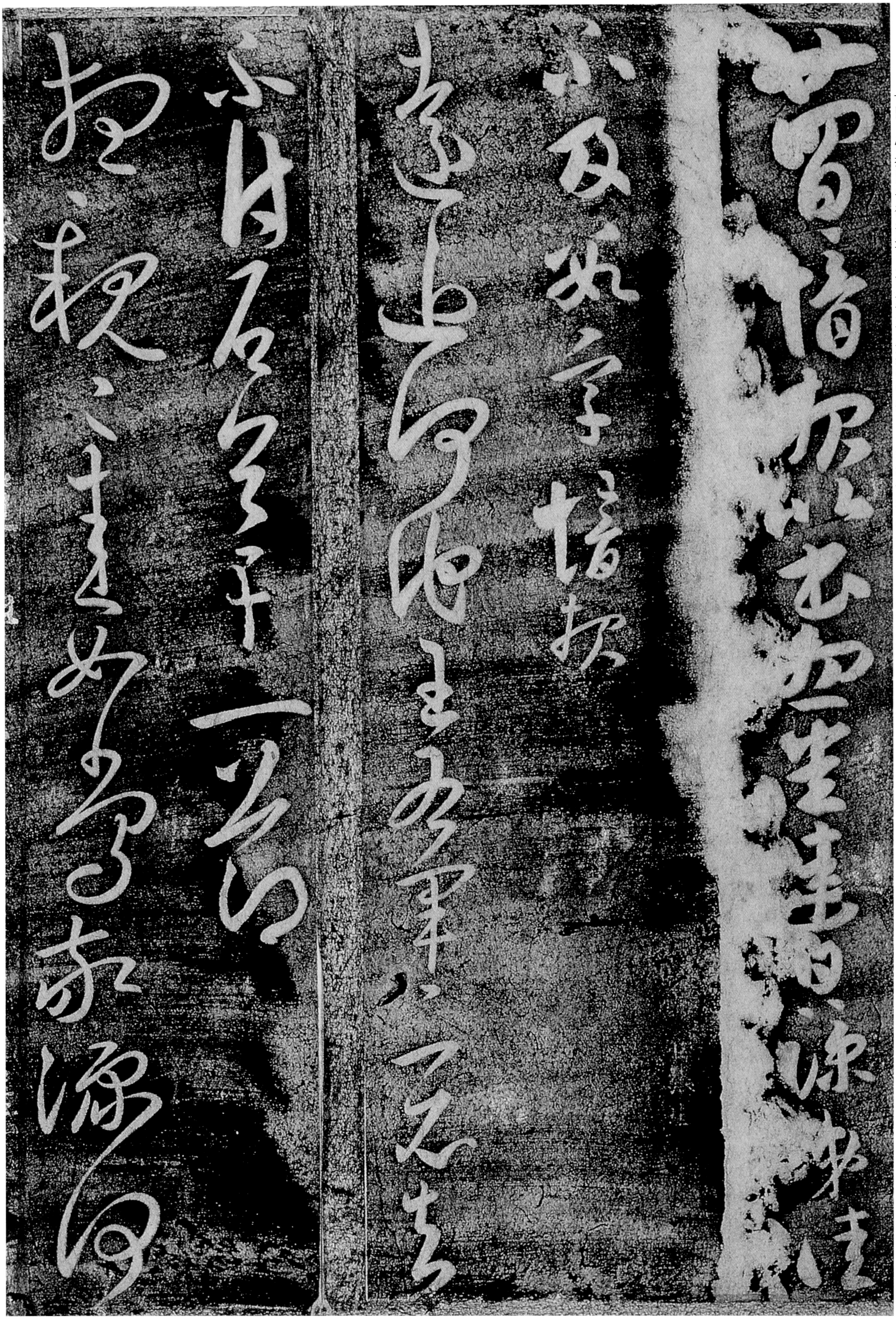

廿四日愔报比书想悉達日凉弟佳不及數字愔报

遠近何地王右軍竟去不付石首干一節想親親悉如常敬豫何

當來耶道祖故未善差恒在尚书不見來多日

超言遠近無他説荀異問者定虛耳云段龕歸順不知審不王江州爲宗正似已定前所傳者虛妄耳異同

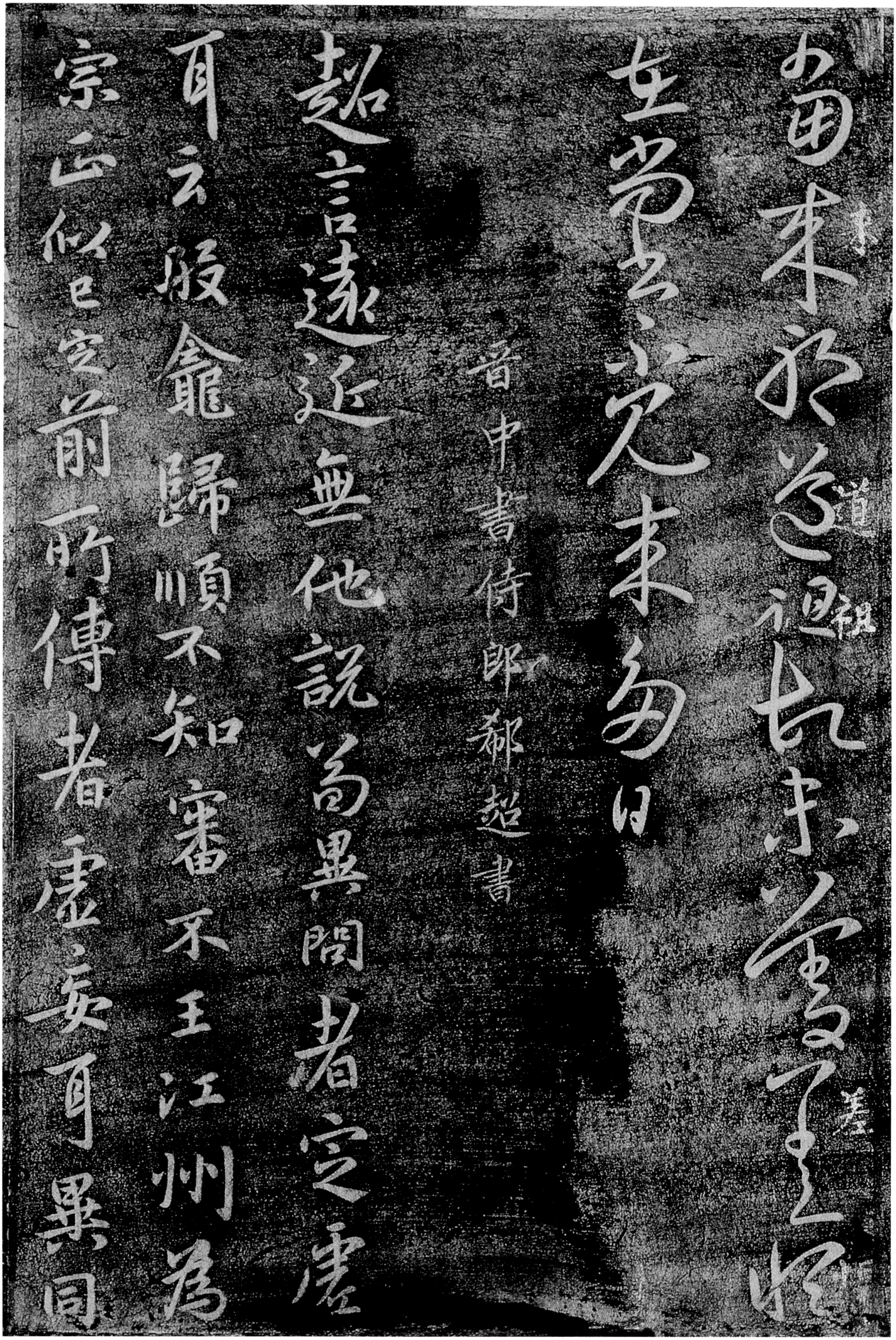

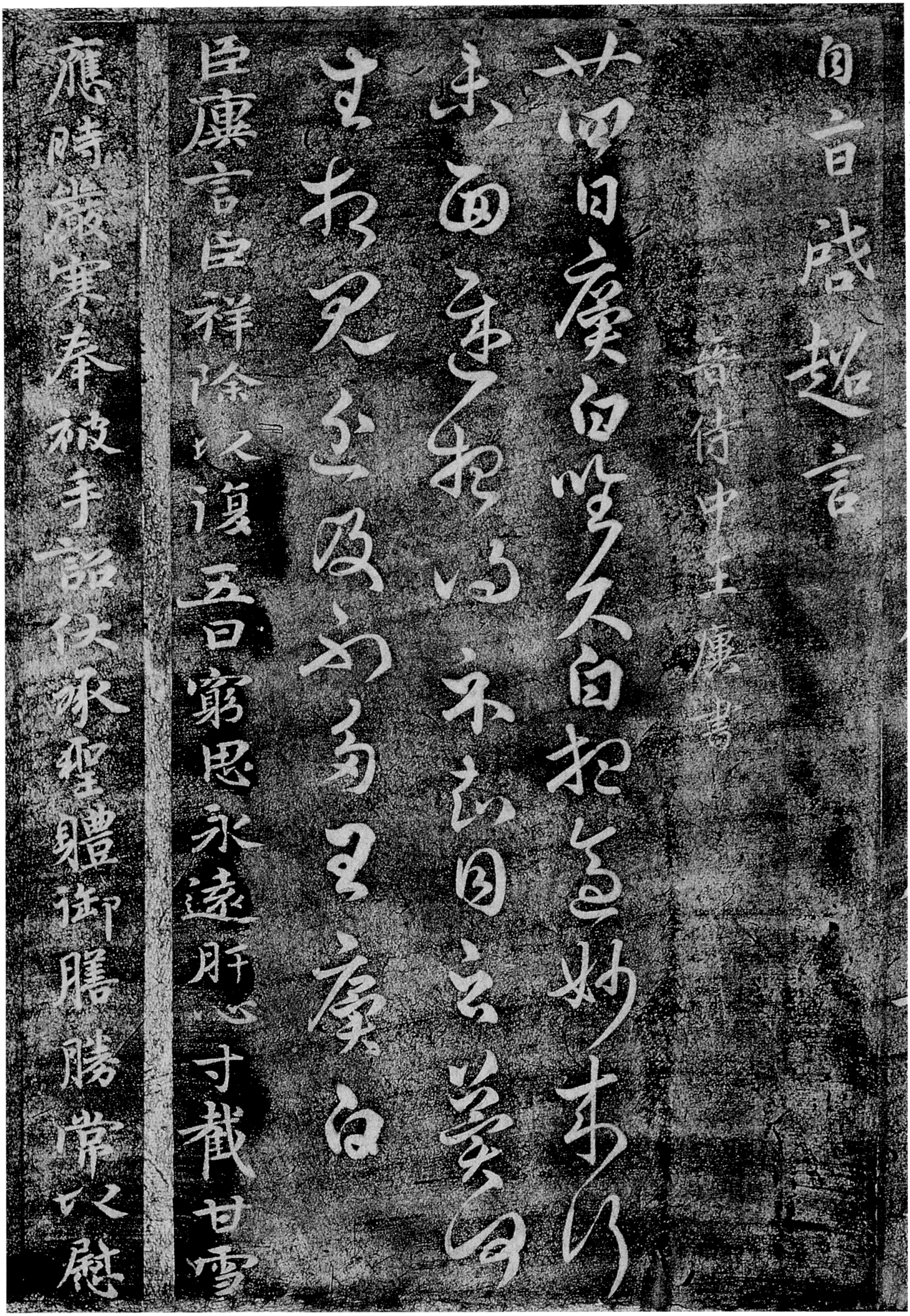

自旨啓超言

廿四日廙白唯久白想適妙來行未面遲想得示知同云冀何生相见近及不多王廙白

臣廙言臣祥除以復五日窮思永遠肝心寸截甘雪

應時嚴寒奉被手詔伏承聖體御膳勝常以慰

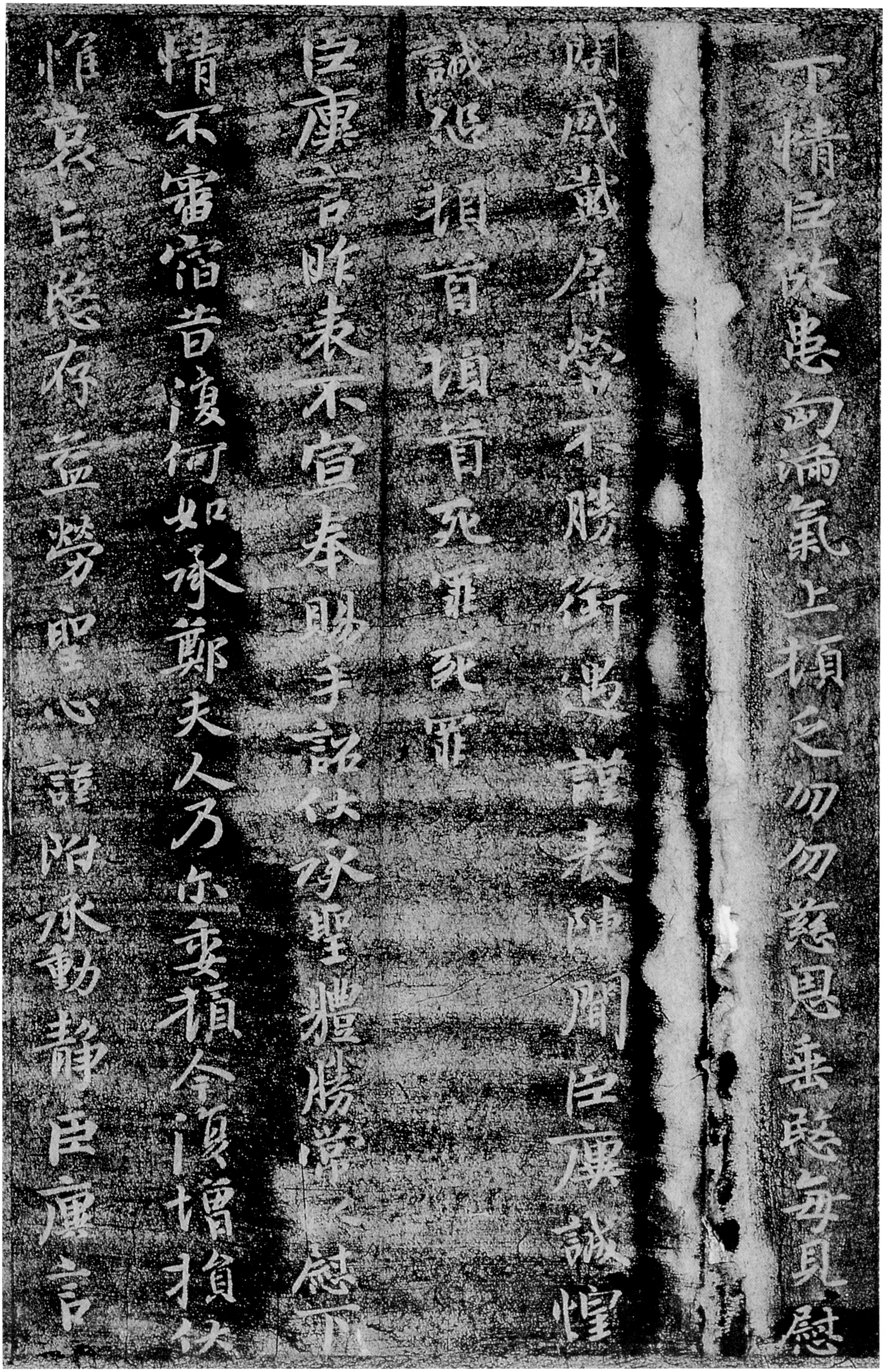

下情臣故患匈滿氣上頓乏匆匆慈恩垂愍每見慰問感戴屏營不勝銜遇謹表陳聞臣廙誠惶誠恐頓首頓首死罪死罪

臣廙言昨表不宣奉賜手詔伏承聖體勝常以慰下情不審宿昔復何如承鄭夫人乃尔委頓今復增損伏惟哀亡愍存益勞聖心謹附承動靜臣廙言

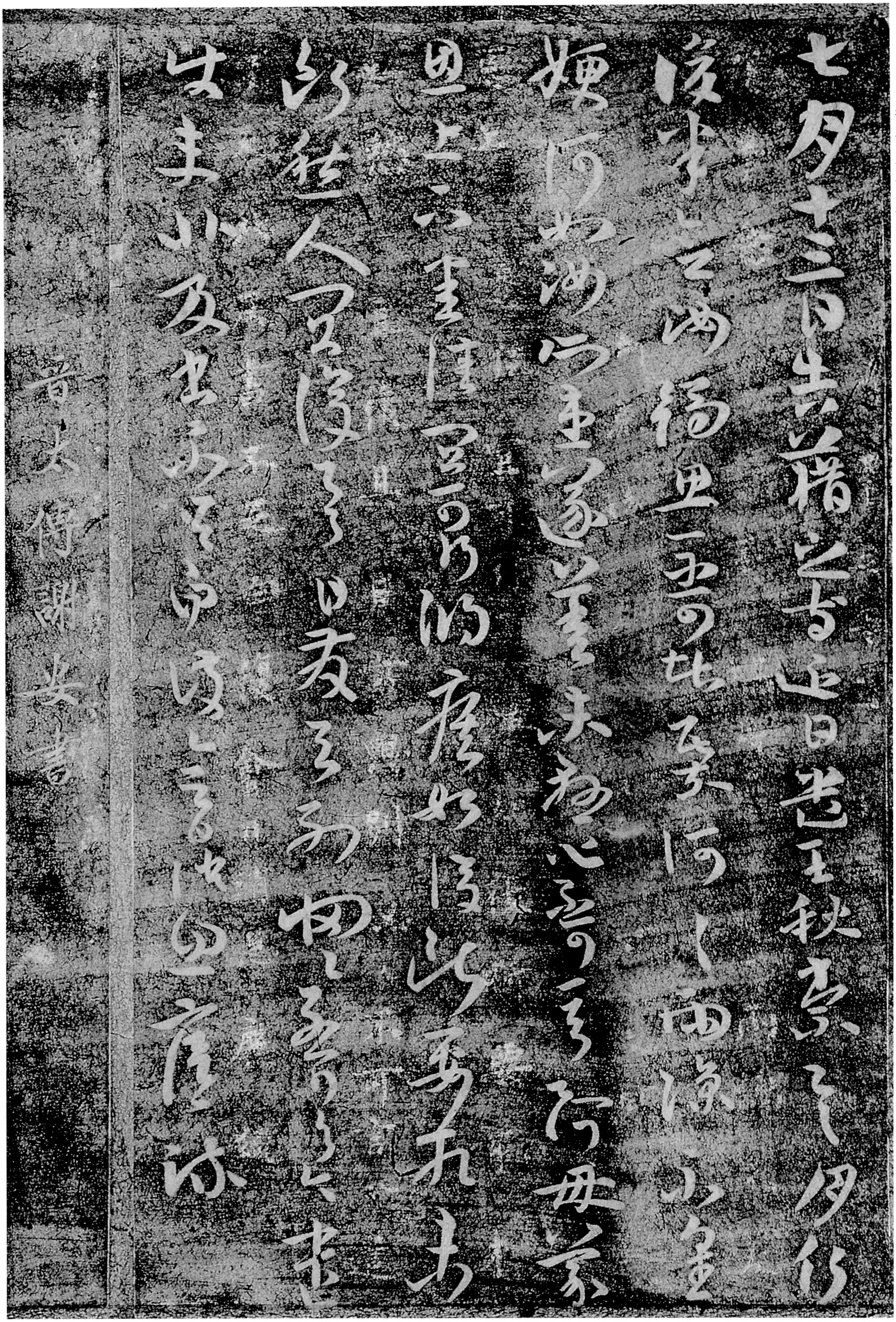

七月十三日告藉之等近日遣王秋书不具月行復半念汝緬思不可堪居奈何奈何雨凉不審婕何如汝所患遂差未懸心不可言阿母蒙恩上下悉佳宜可行鴻瘧如復斷要取未斷愁人宜復具白發與别惘惘不可言今遣使未北及书不具自護会日消息廙疏

安頓首頓首每念君一旦知窮煩冤號慕觸事崩踊尋繹荼毒豈可爲心奈何奈何臨書悽悶安頓首頓首六月廿日具記道民安惶恐言此月向終惟祥變在近
號慕崩慟煩冤深酷不可居處比奉十七十八日二告承故不和甚馳灼大熱尊體復何

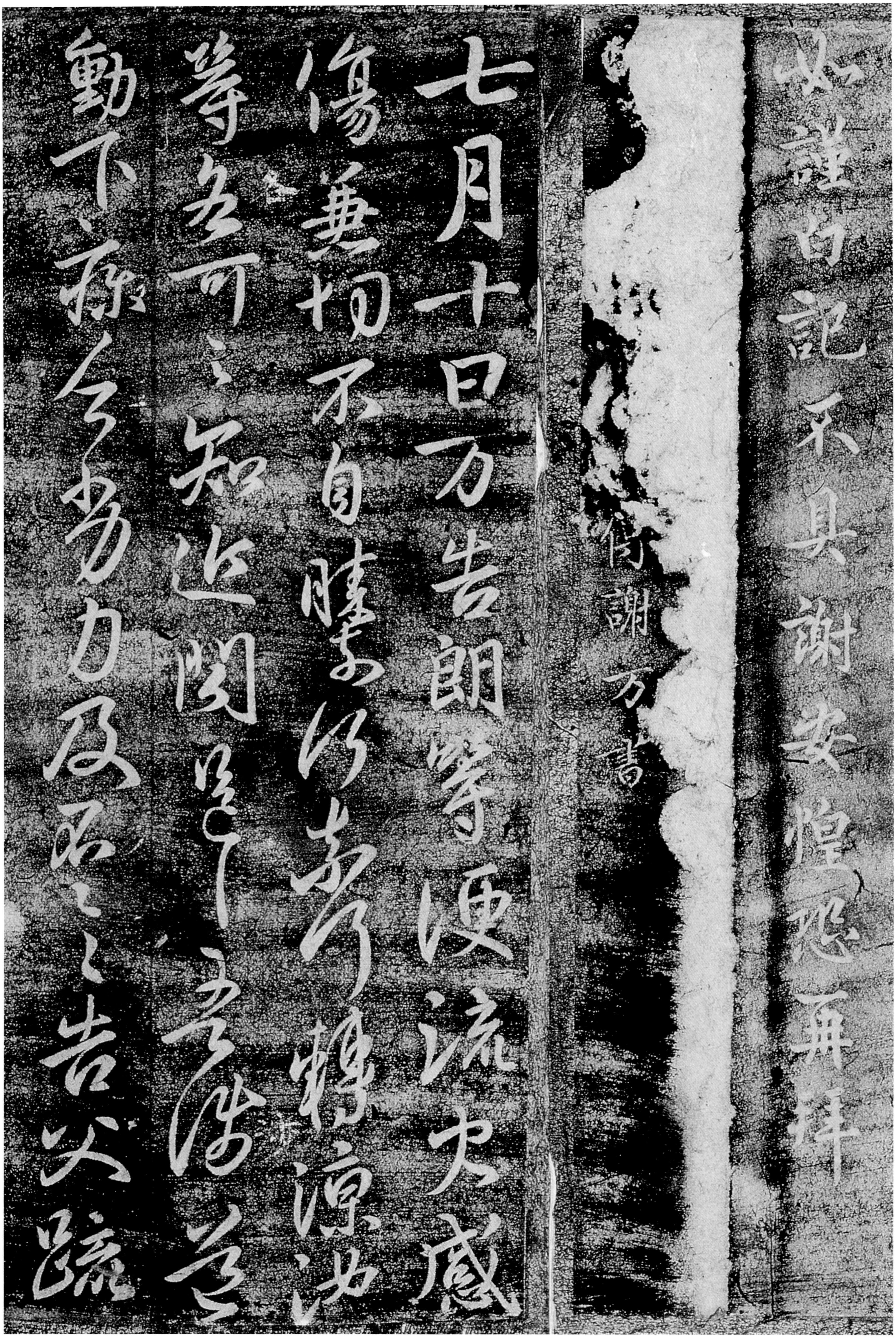

如謹白記不具謝安惶恐再拜

七月十日万告朗等便流火感傷兼切不自勝奈何奈何轉涼汝等各可知近聞邑邑吾涉道動下疢乏劣力及不具告父疏

敦頓首頓首蜡節忽過歲暮感悼傷悲之意想自如常比苦腰痛憒憒得示知意反不以悉王敦頓首頓首

大事之日僕在都謂無所復見慰

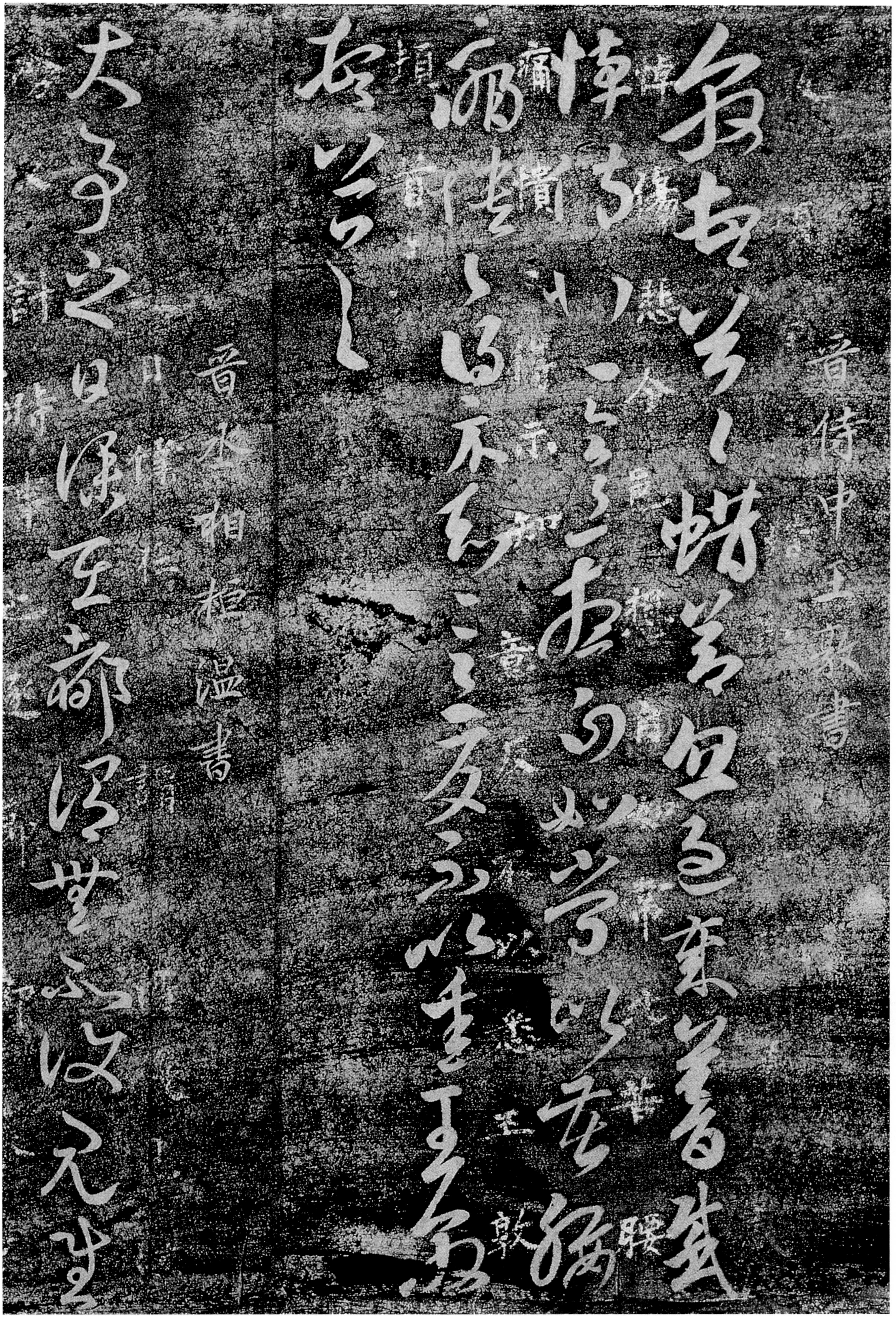

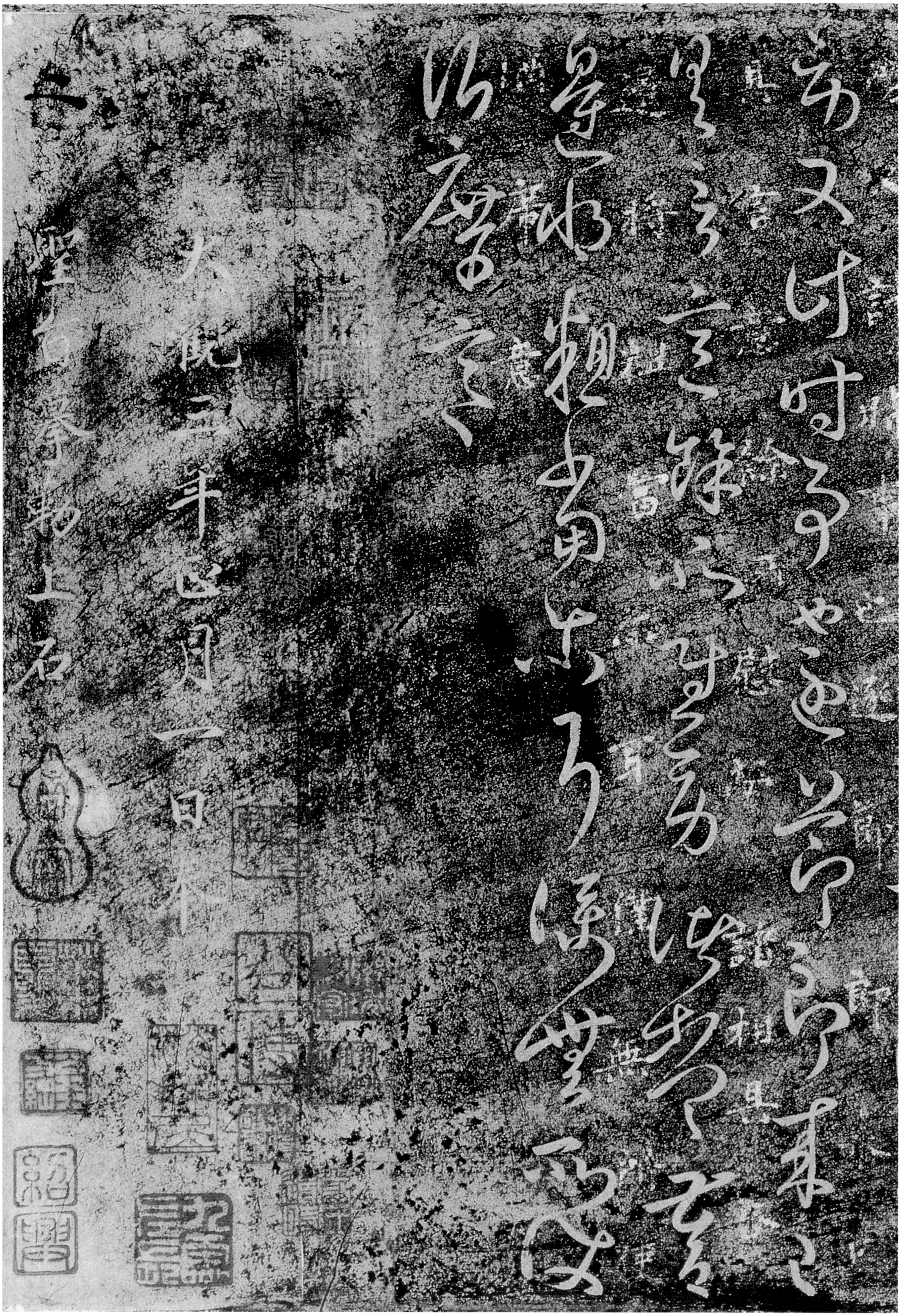

勞又計时事也逐節郎來已具言意餘所慰勞諸相具督邊將粗當尔耳僕無所使治席意